何進盛　林敬文　范淑芬　徐琬章
吳慧婷　陳士濱　陳秀美　劉菁菁
李春　編著

新編五專國文

第四冊

文史哲出版社印行

國家圖書館出版品預行編目資料

新編五專國文/ 何進盛等編著. -- 初版. -- 臺北市：文史哲, 民 97.02
頁： 公分. --
ISBN 978-957-549-766-8（第 4 冊：平裝）

1.國文科 2.讀本

836 96001311

新編五專國文 第四冊

編著者：何進盛 林敬文 范淑芬
徐琬章 吳慧婷 陳士濱
陳秀美 劉菁菁 李春
出版者：文史哲出版社
http://www.lapen.com.tw
登記證字號：行政院新聞局版臺業字五三三七號
發行人：彭正雄
發行所：文史哲出版社
印刷者：文史哲出版社
臺北市羅斯福路一段七十二巷四號
郵政劃撥帳號：一六一八〇一七五
電話886-2-23511028 · 傳真886-2-23965656
定價新臺幣二八〇元
中華民國九十七年（2008）二月初版

ISBN 978-957-549-766-8

新編五專國文 第四冊 目次

編輯說明

一、本教材是根據教育部頒布九五學年實施之五年制專科學校課程綱要編寫而成，共分六冊，供五專一、二、三年級使用。

二、本教材有四大目標：其一、培養閱讀、寫作、鑑賞、批評之能力。其二、了解我國文學的理論、源流、類別，以及各個時代，各項文體的主要觀點、作家、作品。其三、訓練歸納、演繹、推論、判斷等思考方法。其四、確立適切的思想觀念、國家意識，體認民主精神、文化本質。

三、本教材之選文，兼顧到作品的體裁及內容，也留意到各個時代、各個流派的代表作家、作品；希望能做到「縱」的銜接—史的連貫，與「橫」的聯繫—類的擴充。除了創作作品外，還選了有關文學評論的文章。而為了增加教學的彈性，每一冊的文章篇數，也比實際能講授的多了一些，可供同學自行參閱。

四、本教材之編排，分文言文、文化教材（論孟學庸）、詩詞曲、白話文、應用文五部分，分別依其特性，做系統的編排。

1文言文：以教育部公布的四十篇核心文言文爲主，依難易分編於各冊。六冊分成三個循環（一、二冊一個循環，三、四冊一個循環，五、六冊一個循環），每個循環依「從古至今」之序選文；一個循環比一個循環更加深內容。篇名標有◎符號者，爲部頒「後期中等教育共同核心課程『國文』課程指引」之「十五篇文言文」參考選文。

2文化教材：第一、二冊選讀論語，每冊兩課，共四課，分別是有關「仁、忠、恕」、「孝、弟、義」、「禮、正名」、「宗教、天命」的篇章。第三、四冊選讀孟子，同樣每冊兩課，共四課，分別是有關「善性」、「義利、養氣」「性、命」「王道、仁政、民本」的篇章。第五冊選讀大學、中庸。

3詩詞曲：第一冊選絕句，第二冊選律詩，第三冊選詩經，第四冊選古體詩、樂府詩，第五冊選唐宋詞、第六冊選元代散曲。

4白話文：分理論、新詩、小說、散文四大類，含元明清古典小說、民國以來散文、小說，日據時代臺灣先賢散文、小說，現代作家散文、小說，及現代詩選等。

5應用文：第一冊爲「書信、便條、名片」，第二冊爲「柬帖、會議文書、傳真」，第三冊爲「契約、規章」，第四冊爲「履歷、自傳」，第五冊爲「一般公文」，第六冊爲「存證信函、啓事、廣告」。

五、本教材單篇體例，依教學之需要，分別有作者、題解、注釋、結構、欣賞、討論等項，除了敘述時講求簡要，使用語體文，不做考證之外，尚有幾點跟一般的教材不同：

1 作者：生平介紹採年表式，以方便參閱。

2 注釋：直接解說含意，非必要，不稱引典故或前人注文。

3 結構：依文章性質，有的注重全篇綱目的整理，有的只做精華歸納，不是說說各段大意而已。

4 欣賞：直接說出其蘊含或技巧所以高妙之處，而避用玄虛的形容語彙。

5 討論：這是教材最特殊的部分，注重整體性的研思，透過「討論」，前述的編輯目標才可以落實，「國文課」也才不至於落入韓愈所謂「小學而大遺」。

六、依部頒課程綱要「國文四」：授課學分數爲3（語體：45％　文言：55％）。教學內容應包含：範文（記敘文3篇　抒情文3篇　論說文4篇）、文化教材、應用文、作文四部分。

七、本教材從策劃、訂體例、選文、編寫，一直到校稿完成，我們都竭盡心力，小心翼翼地在進行，唯才智有限，疏漏難免，還請高明之士多所指正，使本教材更精良，使國文教學更完美。

民國九十七年二月編者謹誌

一　岳陽樓記

范仲淹

【作者】

范仲淹，字希文，北宋蘇州吳縣人。生於太宗端拱二年（西元九八九年），死於仁宗皇祐四年（西元一〇五二年），年六十四。

仲淹二歲而孤，自幼貧苦力學，博通六經。眞宗大中祥符八年（西元一〇一五年），二十七歲，中進士。

曾在睢陽講學，注意地方教育，辦理官學很有成就。

仁宗時守延州，主持邊務數年，號令嚴明，愛撫士卒，西夏人不敢冒犯，有「軍中有一范，西賊聞之驚破膽」之說。

仁宗慶曆四年（西元一〇四四年），五十六歲，爲樞密副使，參與政事，對政治大行改革，爲一位實事求是的政治家，王安石變法即承繼了他的某些精神和主張。

後來罷相位，出任亳州、青州知州。

外和內剛，考核嚴格，愛護青年，獎掖後進，歐陽修、孫復、張載等都受他提拔，成爲當時清流派中心人物，有「天下第一流人物」之美譽。死後諡文正，著有范文正公集二十九卷。

【題解】

岳陽樓在湖南省岳陽縣西門上，下眺洞庭湖君山，景物極美，是唐朝張說當岳州刺史時所建的。北宋時郡守滕子京重新修建，刻唐宋詩人之作品於城樓上，並請范仲淹為文記其事，由蘇舜欽繕寫，邵悚篆額，號稱「四絕」。

本文雖題名為記，實乃作者借景抒情，自寫其「不以物喜，不以己悲。」「士當先天下之憂而憂，後天下之樂而樂。」的懷抱。

【本文】

慶曆四年(1)春，滕子京(2)謫守巴陵郡(3)。越明年(4)，政通人和(5)，百廢具興(6)，乃(7)重修岳陽樓，增其舊制，刻唐賢今人詩賦於其上，屬(8)予作文以記之。

予觀夫(9)巴陵勝狀，在洞庭一湖(10)。銜遠山(11)，吞長江(12)，浩浩湯湯(13)，橫無際涯(14)，朝暉(15)夕陰，氣象萬千，此則岳陽樓之大觀(16)也，前人之述備(17)矣。然則北通巫峽(18)，南極瀟湘(19)，遷客騷人(20)，多會於此，覽物之情，得無異乎？

若夫(21)霪雨霏霏(22)，連月不開，陰風怒號(23)，濁浪排空(24)，日星隱耀(25)，山岳潛形(26)，商旅不行，檣傾楫摧(27)，薄暮冥冥(28)，虎嘯猿啼。登斯樓也，則有去國懷鄉(29)，憂讒畏譏

(30)，滿目蕭然(31)，感極而悲者矣。

至若春和景明(32)，波瀾不驚(33)，上下天光，一碧萬頃，沙鷗翔集，錦鱗(34)游泳，岸芷汀蘭(35)，郁郁青青(36)；而或長煙一空(37)，皓月(38)千里，浮光躍金(39)，靜影沈璧(40)，漁歌互答(41)，此樂何極！登斯樓也，則有心曠神怡(42)，寵辱皆忘，把酒臨風(43)，其喜洋洋者矣。

嗟夫(44)！予嘗求古仁人之心，或(45)異二者之爲，何哉？不以物喜(46)，不以己悲(47)；居廟堂(48)之高，則憂其民，處江湖(49)之遠，則憂其君。是進亦憂，退亦憂，然則何時而樂耶(50)？其必曰：先天下之憂而憂(51)，後天下之樂而樂(52)乎！噫(53)！微斯人(54)，吾誰與歸(55)！時六年九月十五日。

【注釋】

(1)慶曆四年—西元一○四四年。慶曆爲宋仁宗的年號（西元一○四一—一○四八）。

(2)滕子京—名宗諒，河南人，和范仲淹同年舉進士，仁宗時官至天章閣待制，有氣節，不愛財。後被梁堅王拱辰所彈劾，貶官治岳州。

(3)謫守巴陵郡—降調爲巴陵郡守。謫（ㄓㄜˊ），官吏因罪被降調。守，做郡守，宋時岳州巴陵郡治巴陵縣，即今湖南省岳陽縣。
(4)越明年—慶曆六年。越，過。明年，次年。
(5)政通人和—政事通達，人心和順。
(6)百廢具興—所有廢弛的事全興辦起來。
(7)乃—於是，就。
(8)屬—音ㄓㄨˇ，通「囑」，囑咐。
(9)夫—音ㄈㄨˊ，那，指示代名詞。
(10)洞庭湖—在湖南省北境，離岳陽縣西南一里左右，每年夏秋水漲，周圍八百多里。
(11)銜遠山—洞庭湖中有君山，像銜在口裡。
(12)吞長江—把長江的水吸收進來，如吞了一般。
(13)浩浩湯湯—形容水勢盛大。湯湯，音ㄕㄤㄕㄤ。
(14)際涯—邊岸。
(15)朝暉夕陰—暉，同「輝」，陽光。陰，指夕陽餘輝。
(16)大觀—壯大的景觀。
(17)備—完備，很多。
(18)巫峽—三峽之一，在四川省巫山縣東，湖北省巴東縣西，長江從此經過，兩岸絕壁參天，船行極爲危險。
(19)南極瀟湘—向南可到達瀟湘的盡頭。極當動詞用，走到盡頭的意思。瀟水源出湖南寧遠縣九疑山，一名泥江，至零陵縣西北入湘水，合名叫瀟湘。湘水源出廣西興安縣海陽山，經長沙北流入洞庭湖。

(20)遷客騷人—遷客，指被流放貶謫之人。騷人，屈原作離騷，後世遂以騷人稱詩人；騷，憂愁。

(21)夫—音ㄈㄨˊ，語氣詞。

(22)霪雨霏霏—霪雨，下了很久的雨。霏霏，形容雨多。

(23)陰風怒號—陰冷的風嗚嗚的吹著。

(24)濁浪排空—混濁的波浪高得像要頂著天似的。排，擠，推。

(25)日星隱耀—日星之光被遮蔽。耀，光輝。

(26)潛形—失去形跡。

(27)檣傾楫摧—帆柱倒，船槳折。檣，帆柱。楫，船槳。

(28)薄暮冥冥—接近傍晚即天昏地暗。薄，近。冥冥，昏暗。

(29)去國懷鄉—遠離故鄉，思念家鄉。去，離開。國，故鄉，亦可指君主。

(30)憂讒畏譏—擔心壞人誹謗，怕人譏笑。讒，以言語誹謗陷害人。譏，以刻薄話諷刺人。

(31)蕭然—蕭條淒涼。

(32)春和景明—春暖天晴。景，陽光。

(33)波瀾不驚—波浪很平靜。瀾，大波。

(34)錦鱗—美麗的魚。鱗，魚的總稱。鱗色鮮明如錦，故曰錦鱗。

(35)岸芷汀蘭—岸上的白芷，洲上的蘭花。芷，香草名，白芷。汀，小洲。

(36)郁郁青青—又香又茂盛。郁郁，香氣散射。青青，音ㄐㄧㄥㄐㄧㄥ，通「菁菁」，茂盛的樣子。

(37)長煙一空—煙消霧散，萬里無雲。

(38)皓月—明月。皓，ㄏㄠˋ，光明潔白。
(39)浮光躍金—波動的水面上，反射出金色的月光。
(40)靜影沈璧—平靜的水中映出璧玉般的月影。
(41)互答—此起彼落，相互應和。
(42)心曠神怡—胸襟開廓，精神怡悅。
(43)把酒臨風—把，拿。臨風，迎風。
(44)嗟夫—感嘆詞。
(45)或—有人。
(46)不以物喜—不因環境美好而高興。以，因。物，外在的環境。
(47)不以己悲—不因自己的遭遇困厄而悲傷。
(48)居廟堂之高—高高在上地在朝廷爲官。廟堂，指朝廷。
(49)處江湖之遠—遠遠地在鄉野爲民。江湖，指鄉野。
(50)耶—疑問語氣詞，相當於「呢」。
(51)先天下之憂而憂—在天下人尚未憂慮以前就已開始憂慮。
(52)後天下之樂而樂—等天下人都快樂了才覺得快樂。
(53)噫—悲嘆聲。
(54)微斯人—沒有這樣的人。微，沒有。斯，此，這。
(55)誰與歸—與，用法和「爲」相同，語氣詞；「誰與歸」即「歸誰」，向誰學習之意。

【結構】

本文共分五段，從作記緣由寫起，經覽物之異情，終於自抒抱負，層次分明，結構嚴密，請同學整理出各段主旨，並於說明各段前後連接的形跡：

第一段

第二段

第三段

第四段

第五段

【討論】

△古仁人，「不以物喜，不以己悲。」那麼他是否有悲喜呢？什麼事情會令他悲喜呢？

二　訓儉示康

司馬光

【作者】

司馬光，字君實，北宋陝州夏縣（今山西省夏縣）涑水鄉人，世稱涑水先生。宋眞宗天禧三年（西元一〇一九年）生，哲宗元祐元年（西元一〇八六年）卒，享年六十八歲，追贈溫國公，諡文正。

宋仁宗寶元元年（西元一〇三八年），司馬光二十歲，中進士，曾當過直秘閣、開封府推官、同知諫院、翰林學士、御史中丞等官，哲宗即位（西元一〇八六年），徵爲宰相。

司馬光爲人篤實眞誠，生活儉樸，居家孝友和睦，作官清廉能幹。在政治上，他是舊派的領袖，反對王安石的變法，主張人治，倡導仁政，爲當時的學者士大夫所宗仰。

司馬光的文章直樸明暢、不尙修飾。他費了十九年的時間，修成資治通鑑二百九十四卷，編年記載戰國至五代的歷史，取法謹嚴，條理分明，爲我國史學名著。其他著作有溫國文正司馬公文集八十卷、涑水紀聞十六卷等。

【題解】

康，是司馬光的兒子，字公休，端謹至孝，敏而好學，後來考中明經科，當過校書郎，右正言等官。

司馬光死時，守廬睡在地上，得腹疾而死。

【本文】

吾本寒家(1)，世以清白(2)相承。吾性不喜華靡(3)，自爲乳兒，長者加以金銀華美之服，輒羞赧(4)棄去之。二十忝科名(5)，聞喜宴獨不戴花(6)，同年(7)曰：「君賜不可違也。」乃簪一花。平生衣取蔽寒，食取充腹，亦不敢服垢弊以矯俗干名(8)，但順吾性而已。

衆人皆以奢靡爲榮，吾心獨以儉素爲美，人皆嗤吾固陋，吾不以爲病(9)，應之曰：孔子稱：「與其不孫也，寧固(10)。」又曰：「以約失之者，鮮矣(11)。」又曰：「士志於道，而恥惡衣惡食(12)者，未足與議也。」古人以儉爲美德，今人乃以儉相詬病(13)。嘻，異哉！

近歲風俗尤爲侈靡，走卒類(14)士服，農夫躡絲履(15)。吾記天聖(16)中，先公(17)爲郡牧判官(18)，客至，未嘗不置酒，或三行(19)、五行，多不過七行。酒酤於市，果止於梨、栗、棗、柿之類，肴止於脯醢(20)、菜羹，器用甆漆(21)。當時士大夫家皆然，人不相非也。會數(22)而禮勤，物薄而情厚。近日士大夫家，酒非內法(23)，果、肴非遠方珍異，食非多品，器皿非滿案⑵，不敢會賓友；常數月營聚，然後敢發書⑵。苟或不然，人爭非之，以爲鄙吝，故不隨俗靡⑵者蓋鮮矣。嗟乎！風俗頹敝如是，居位者雖不能禁，忍助之乎！

又聞昔日李文靖公⑵爲相，治居第於封丘門⑵內，廳事前僅容旋馬⑵，或言其太隘，公笑曰：「居第當傳子孫，此爲宰相廳事誠隘，爲太祝奉禮⑶廳事已寬矣。」參政魯公⑶爲諫官，眞宗⑶遣使急召之，得於酒家，既入，問其所來，以實對，上曰：「卿爲清望官⑶，奈何飲於酒肆？」對曰：「臣家貧，客至無器皿、肴、果，故就酒家觴之⑶。」上以無隱，益重之。張文節⑶爲相，自奉養如爲河陽掌書記時⑶，所親或規之曰：「公今受俸不少，而自奉若此，公雖自信清約，外人頗有公孫布被之譏⑶，公宜少從衆。」公歎曰：「吾今日之俸，雖舉家錦衣玉食，何患不能？顧⑶人之常情，由儉入奢易，由奢入儉難，吾今日之俸豈能常有？身豈能常存？一旦異於今日，家人習奢已久，不能頓儉，必致失所。豈若吾居位、去位、身存、身亡，常如一日乎？」嗚呼！大賢之深謀遠慮⑶，豈庸人⑷所及哉！

御孫⑷曰：「儉，德之共也；侈，惡之大也。」共，同也，言有德者皆由儉來也。

夫儉則寡欲：君子寡欲，則不役於物(42)，可以直道而行(43)；小人寡欲，則能謹身節用，遠罪豐家(44)。故曰：「儉，德之共也。」侈則多欲：君子多欲則貪慕富貴，枉道速禍(45)；小人多欲則多求妄用，敗家喪身。是以居官必賄，居鄉必盜。故曰：「侈，惡之大也。」

昔正考父(46)饘粥以餬口(47)，孟僖子知其後必有達人(48)。季文子相三君(49)，妾不衣帛，馬不食粟，君子以爲忠。管仲(50)鏤簋朱紘(51)，山楶藻棁(52)，孔子鄙其小器(53)。公叔文子(54)享(55)衛靈公，史鰌(56)知其及禍；及戍(57)，果以(58)富得罪出亡。何曾(59)日食萬錢，至孫以驕溢傾家。石崇以奢靡誇人(60)，卒以此死東市(61)。近世寇萊公(62)豪侈冠一時，然以功業大，人莫之非(63)，子孫習其家風，今多窮困。

其餘以儉立名，以侈自敗者多矣，不可徧數(64)，聊舉數人以訓汝。汝非徒身當服行(65)，當以訓汝子孫，使知前輩之風俗云(66)。

【注釋】

(1)寒家—貧寒之家。此是自謙之詞。
(2)清白—身家清白，謂從事正當職業。

⑶靡—麗。
⑷赧—音ㄋㄢˇ，害羞。
⑸二十忝科名—指司馬光二十歲時中了進士。忝，音ㄊㄧㄢˇ，辱。忝科名，辱得科名，表示僥幸的意思，是自謙之詞。
⑹聞喜宴獨不戴花—宋制，皇帝賜宴新進士和諸科及第的人，稱爲「聞喜宴」。凡出席者，皆賜戴花在頭上。
⑺同年—科舉時代，同榜考取的，互稱同年或年友。
⑻矯俗干名—違背俗尚，求取名譽。矯，違。干，求。
⑼人皆……病—嗤，音ㄔ，譏笑。病，缺點。
⑽與其不孫也，寧固—論語述而篇：「子曰：『奢則不孫，儉則固。與其不孫也，寧固』」，孫，音ㄒㄩㄣˋ，通「遜」，謙順的意思。固，簡陋。太奢華了，就越禮過分，太儉省了又不免固陋，兩者都不合禮節，但與其驕奢過分而不謙順，寧可節儉過度而簡陋。
⑾以約失之者，鮮矣—以，因。約，儉約。鮮，音ㄒㄧㄢˇ，少。失，犯了過錯。
⑿恥惡衣惡食—以穿粗衣、吃粗飯爲羞恥的事。恥，動詞，以……爲恥。惡，音ㄜˋ。
⒀相詬病—相互羞辱指責。詬，音ㄍㄡˋ，動詞，羞辱。病，動詞，指責、議論。
⒁類—似。
⒂躡絲履—躡，音ㄋㄧㄝˋ，穿著。履，鞋。
⒃天聖—宋仁宗年號（西元一〇二三—一〇三〇年）。
⒄先公—作者的父親司馬池　字和中，中進士，歷任州縣官，皆有政聲，累官至天章閣待制，知晉州時逝

世。

⒅郡牧判官—郡牧，就是郡太守。判官，宋制，於節度、觀察等使下面設判官爲其僚屬。

⒆行—宴會時，主人向客斟一巡，叫一行。

⒇脯醢—脯，音ㄈㄨˇ，肉乾。醢，音ㄏㄞˇ，肉醬。

(21)甆漆—瓷器與漆器。甆，同「瓷」。

(22)數—音ㄕㄨㄛˋ，頻繁。

(23)內法—指官製的酒。宋時的酒，官製的味醇而厚，民製的味劣而薄。君王所居之處叫大內。

(24)案—桌子。

(25)發書—發送請柬。

(26)靡—奢侈。

(27)李文靖公—名沆，字太初，宋洺州肥鄉人。眞宗咸平初爲相，深謀遠慮，有聖相之稱，死後諡文靖。

(28)治居第……內—治，修建。居第，住宅。封丘門，宋汴京城門名。

(29)廳事前僅容旋馬—廳事，與「聽事」同，本是官府辦事之所，後來私宅中庭亦沿用此名。旋，是回轉。僅容得下馬回旋，比喻面積狹小。

(30)太祝奉禮—太祝，奉禮，官名，掌宗廟祭祀祈福的事。這裡指後代子孫只能當此類的小官，爲謙虛之詞。

(31)參政魯公—參政，官名，即參知政事，宋代副宰相之職稱。魯公，名宗道，字貫之，宋亳州譙人，仁宗時，當參政知事，抑止僥倖，時人忌憚他，稱他爲「魚頭參政」，表示他很耿直。眞宗曾在其壁題「魯直」褒獎他。

(32)眞宗—名恆，宋太宗光義兒子，在位二十五年（西元九九八年至一〇二二年）。

(33)清望官—指諫官。做諫官的人，應當主持正義，斥責姦邪，而爲衆所仰望，所以稱清望官。

(34)觴之—進酒款客。觴，音ㄕㄤ，本爲酒器，此作動詞。之，指客人。

(35)張文節—名知白，字用晦，宋漳州清池人，眞宗時進士。仁宗時爲相，公正清廉，樸實如清寒之人。死後諡文節。

(36)河陽掌書記時—河陽，在今河南省孟縣西。張文節曾任河陽節度判官，掌理文書事務。

(37)公孫布被之譏—公孫弘，字季齊，漢菑州薛人。武帝時曾任御史大夫、丞相，封爲平津侯。公孫弘生活儉樸，食物粗劣，以布爲被，但外人卻譏笑他是裝假的。

(38)顧—但是。

(39)深謀遠慮—計劃周密，思慮長遠。

(40)庸人—常人。

(41)御孫—名慶，春秋魯大夫。

(42)君子……物—君子，指作官的人。（不是有德性的人，有德的人，是不會多欲的。）役於物，受物質所支配；役，役使。

(43)直道而行—依順著正道而行事。直，當動詞用，順。

(44)小人……豐—小人，指平民。遠罪，遠離罪罰，遠，音ㄩㄢˋ，作動詞用。

(45)枉道速禍—專走旁門小道，招致禍害。枉，歪曲。速，招。

(46)正考父—春秋宋人，姓正，名考父，商紂兄微子後裔。官至上卿，地位越高越謙恭。

(47)饘粥以餬口—吃稀飯過日子。饘，音ㄓㄢ，饘粥都是稀飯，饘較稠，粥較稀。餬，動詞，飼養。餬口，勉強維持生計。

(48)孟僖……達人—孟僖子，春秋魯大夫。達人，通達之人，此指孔子。正考父生孔父嘉，孔父嘉，以孔爲姓，是孔子六世祖。

(49)季文子相三君—季文子，春秋魯大夫，名行父，諡文。做宣公、成公、襄公三君之相，死後家無長物。

(50)管仲—春秋齊潁上（今安徽省潁上縣）人，名夷吾，字仲，諡敬，故亦稱敬仲。爲齊桓公相，富國強兵，尊周室，攘夷狄，使齊稱霸於天下，桓公尊爲仲父。

(51)鏤簋朱紘—鏤簋，刻有花紋的器皿。鏤，音ㄌㄡˋ，雕刻。簋，音ㄍㄨㄟˇ，古時祭祀宴餐時盛黍稷的器具。朱紘，是大紅色的帽帶。紘，音ㄏㄨㄥˊ。

(52)山楶藻棁—山楶，在柱頭斗拱上刻山水圖案。楶，音ㄐㄧㄝˊ，斗拱，縱橫交錯在柱頂，以承屋棟的斗形木塊。藻棁，是在梁上的短柱上畫水藻花紋。棁，音ㄓㄨㄛˊ。架撐屋頂的大木叫梁，居中最高的梁叫棟。

(53)小器—器量狹小。

(54)公叔文子—公孫拔，春秋衛大夫。

(55)享—宴。

(56)史鰌—字子魚，亦稱史魚，春秋衛大夫。鰌，音ㄑㄧㄡ。

(57)戌—公叔文子之子。

(58)以—因爲。

(59)何曾—字穎孝，晉陳國陽夏人。晉初拜爲太尉，後爲太傅。生性豪侈，日食萬錢，還說「無下箸處」。

至其子孫，不改其風。懷帝末年，曾孫綏爲東海王越所殺，全家覆亡。

(60)石崇……誇人—石崇，字季倫，晉勃海南皮人，經商致富，窮極奢靡，與羊琇、王愷等人鬥富。

(61)卒以……東市—石崇被趙王倫收斬，家人一起被害的有十五人。卒，終於。東市，指刑場。古代在東市場處決死刑犯，遂以「東市」爲刑場之通稱。

(62)寇萊公—即寇準，字平仲，宋華州下邽人。太宗時進士，眞宗時拜相。契丹入寇，寇準勸帝親征，打退敵人，訂下澶淵之盟，被封爲萊國公。寇準少年顯貴，生性奢華，家中不燃油燈，雖廚廁也燃燒蠟燭。

(63)人莫之非—人莫非之，人不敢說他不對。

(64)偏數—一一說盡。

(65)服行—實踐。

(66)云—句末語氣詞。

【結構】

一、這是一篇很好的議論文，請同學整理出全篇綱目，以了解其結構。

二、司馬光用來訓康的有說理有實例，請依後表的提示，各舉一例來說明：

(一)理

孔子　言　意　意

御孫　人　事　事

㈡例　儉　奢

【討論】

1. 作者慨歎世風日趨奢侈，他列舉的事實有那些？你的看法如何！
2. 說明「儉，德之共也；侈，惡之大也」的道理。

三　正氣歌並序

文天祥

【作者】

文天祥，字宋瑞，號文山，宋吉州廬陵縣（今江西省吉安縣）人。

宋理宗端平三年（西元一二三六年）生。

理宗寶祐四年（西元一二五六年），二十一歲，考中進士，集英殿對策時，理宗皇帝親拔爲第一。他的策文援經據史，暢論君德時政，爲當時考官王應麟所激賞。

理宗開慶元年（西元一二五九年），二十四歲，入京上書條陳政治得失，可惜理宗因循，大臣昏庸，無人理睬其主張。

度宗咸淳五年（西元一二六九年），三十四歲，知寧國府（今安徽宣城縣），改任軍器監。此時奸相賈似道當政，權傾一時，貪圖逸樂，怠忽國事，文天祥上書請誅賈似道以謝國人，卻遭罷免。

咸淳九年（西元一二七三年），三十八歲，任湖南提刑。清理司法，剷平匪寇，頗有成績，調知贛州。

恭帝德祐元年（西元一二七五年），四十歲，蒙古大舉南侵，攻陷湖北，進通江岸，文天祥奉詔勤王。盡散家財，集合民兵，教以忠義；未及訓練，而元軍已攻陷建康（南京），首都危急。

端宗景炎元年（西元一二七六年），四十一歲，受命赴元軍營議和，因堅決抗爭被扣留。後設法逃出，募兵轉戰於贛、閩、嶺南，抵抗元兵，力圖恢復國土。

衛王祥興元年（西元一二七八年），四十三歲，十二月，在廣東海豐縣五坡嶺，被敵軍奇襲，慘敗，被執。

祥興二年（西元一二七九年），四十四歲，元滅宋。三月，文天祥被解送至燕京，在獄三年，敵人威逼利誘，都無法生效。繫獄期間，雖受盡屈辱苦難，但他視若尋常，日以詩詞來排遣悲憤，正氣歌即是其中作品之一。

元世祖至元十九年（西元一二八二年），四十七歲，十二月九日，慷慨成仁，在衣帶上留下「孔曰成仁，孟曰取義，惟其義盡，所以仁至。讀聖賢書，所學何事？而今而後，庶幾無愧。」的贊語，元主歎為眞男子。有文山先生全集傳世。

【題解】

南宋猶如風雨中的殘燭，即使沒有外力侵逼，也將逐漸歸於滅亡。但文天祥憑著一股凜然的正氣，始終堅持原則，奮鬥不懈。本篇作於元世祖至元十八年（西元一二八一年），即入獄第三年。寫作者在獄中飽受各種惡氣的侵襲，但他憑恃著一股正氣，終於戰勝一切。文中不僅指出這正氣的來源，而且揭舉了歷史上十二個富有正氣的偉大人物；他歌頌正氣的偉大力量，慨然以歷史上的正氣人物為師為友。凜然豪壯，足以為世人之砥礪。

【本文】

余囚北庭(1)，坐一土室(2)，室廣八尺，深可四尋(3)，單扉(4)低小，白間(5)短窄，汙下(6)而幽暗，當此夏日，諸氣萃然(7)。雨潦(8)四集，浮動床几，時(9)則爲水氣，塗泥半潮，蒸漚歷瀾(10)，時則爲土氣；乍(11)晴暴熱，風道四塞，時則爲日氣；簷陰薪爨(12)，助長炎虐，時則爲火氣；倉腐寄頓(13)，陣陣逼人，時則爲米氣；駢肩雜遝(14)，腥臊汗垢，時則爲人氣；或圊溷(15)、或毀屍、或腐鼠，惡氣雜出，時則爲穢氣。疊(16)是數氣，當之者鮮不爲厲(17)，而予以孱弱，俯仰(18)其間，於茲二年矣，幸而無恙(19)，是殆有養致然爾(20)。然亦安(21)知所養何哉？孟子曰：「吾善養吾浩然之氣。」(22)彼氣有七，吾氣有一，以一敵七，吾何患焉？況浩然者，乃天地之正氣也，作正氣歌一首。

天地有正氣，雜然賦流形(23)，下則爲河嶽，上則爲日星，於人曰浩然，沛乎塞蒼冥(24)。皇路當清夷(25)，含和吐明庭(26)；時窮節乃見(27)，一一垂丹青(28)。在齊太史簡(29)，在晉董狐筆(30)，在秦張良椎(31)，在漢蘇武節(32)；爲嚴將軍頭(33)，爲嵇侍中血(34)，爲張睢陽齒(35)，爲顏常山舌(36)；或爲遼東帽，清操厲冰雪(37)；或爲出師表，鬼神泣壯烈(38)；或爲渡江楫，慷慨吞胡羯(39)；或爲擊賊笏，逆豎頭破裂(40)。是氣所磅礴(41)，凜烈(42)萬古存，當其貫日月(43)，生死安足論？地維賴以立，天柱賴以尊(44)，三綱實繫命(45)，道義爲之根(46)。

嗟予遘陽九(47)，隸也實不力(48)，楚囚纓其冠(49)，傳車送窮北(50)，鼎鑊甘如飴(51)，求之不可得(52)。陰房闃鬼火(53)，春院閟(54)天黑，牛驥同一皁(55)，雞棲鳳凰食(56)，一朝蒙霧露(57)，分作溝中瘠(58)。如此再寒暑(59)，百沴自辟易(60)，哀哉沮洳場(61)，爲我安樂國。豈有他謬巧(62)，陰陽不能賊(63)？顧此耿耿在(64)，仰視浮雲白(65)，悠悠我心憂，蒼天曷有極(66)！哲人(67)日已遠，典型在夙昔(68)，風簷展書讀，古道照顏色(69)。

【注釋】

(1)北庭—漢代匈奴所居之地叫北庭，這裡指元都燕京。
(2)土室—土牢。
(3)可四尋—可，大約。尋，八尺。
(4)扉—門。
(5)白間—窗戶。
(6)汙下—低下。汙，音ㄨㄚ。
(7)萃然—聚集。
(8)潦—音ㄌㄠˇ，雨水。
(9)時—通「是」，此，這。
(10)蒸漚歷瀾—長久泡在水中，發出臭惡的氣味。漚，音ㄡˋ，久泡水中。瀾，水波。
(11)乍—忽然。

⑿爨—音ㄘㄨㄢˋ，燒火作飯。
⒀倉腐寄頓—倉腐，倉中腐爛的糧食。寄頓，寄放，儲藏。
⒁駢肩雜遝—駢肩，肩靠肩。雜遝，紛亂。遝，音ㄊㄚˋ。
⒂圊溷—音ㄑㄧㄥ ㄏㄨㄣˋ，廁所。
⒃疊—累積。
⒄爲厲—被侵害。
⒅俯仰—這裡指生活。
⒆恙—疾病或傷害。
⒇是殆……爾—是，這種情形，指無病害。殆，大概。養，養護。致然，造成這種結果。爾，相當於白話「吧」。
(21)安—怎麼，如何。
(22)吾善……氣—出自孟子公孫丑篇。浩然，盛大流行。
(23)雜然賦流形—宇宙萬物莫不稟受有正氣。雜然，普遍的意思。賦，給予，存在。流形，各種物體。
(24)蒼冥—本是天空，這裡指天地之間。
(25)皇路當清夷—遇到天子清明，國家太平的時候。當，遇到。夷，平。
(26)含和吐明庭—含蘊著和順之氣，替聖明的朝廷效力。吐，指發揮力量。
(27)時窮節乃見—時代窮厄的時候，氣節就會顯現出來。
(28)一一垂丹青—一件一件留在史書上。垂，留傳。丹青，史書。

(29)在齊太史簡—春秋時，齊國的亂臣崔杼殺了莊公，太史本著史官直書的天職，將崔杼的罪行記下來，被崔杼殺死。他的兩個弟弟繼續這樣寫，崔杼又將他們殺死，太史的另一個弟弟還是照樣做，崔杼沒辦法，只得由他去寫。太史，史官。簡，竹片；古代無紙，用竹簡書寫。

(30)在晉董狐筆—春秋時，晉靈公和他的大臣趙盾交惡，趙盾棄官逃走。後來趙盾的弟弟趙穿殺了靈公，趙盾回國後並未加以征討懲罰，太史董狐認爲趙盾在這件事上有責任，遂在史策上寫了「趙盾弒其君」。

(31)在秦張良椎—張良，字子房，祖上累世相韓。秦國滅韓，張良決心爲韓報仇。當秦始皇經過博浪沙（在河南陽武）時，張良募大力士以鐵椎襲擊秦始皇，雖然沒把秦始皇刺死，卻使得反秦的人心大爲振奮。

(32)在漢蘇武節—蘇武，字子卿，漢朝杜陵人。漢武帝時出使匈奴，匈奴爲逼他投降，將他流放到北海邊牧羊。他嚼雪呑氈，捕鼠爲食，過了十九年，始終手執漢朝給他的符節回國。

(33)爲嚴將軍頭—嚴顏，三國時益州牧劉璋的部將，鎮守巴郡。張飛攻打巴郡，俘擄嚴顏。張要嚴降，嚴說：「吾州但有斷頭將軍，無降將軍。」張飛看重他的氣節勇敢，就釋放了他。

(34)爲嵇侍中血—嵇紹，字延祖，晉惠帝時任侍中，隨帝征討叛將司馬穎，戰敗，嵇紹盡忠職守，爲保衛惠帝而被殺，他的鮮血濺在惠帝的衣服上。後來，惠帝的左右想把血跡洗掉，惠帝說：「這是嵇紹的血，別洗掉。」

(35)爲張睢陽齒—張睢陽，即張巡，鄧州南陽人。唐玄宗時，安祿山叛變，張巡與許遠堅守睢陽（今河南商丘）八個月，前後作戰四百多次，殺賊十二萬，終因糧盡援絕，城陷被俘。他每次督戰必大呼，竟至「眥裂血面，嚼齒盡碎」。

(36)爲顏常山舌—顏常山，即顏杲卿，唐玄宗時常山郡（今河北正定）太守。安史之亂，安祿山攻陷常山，顏杲卿被俘，拒絕投降，大罵賊寇，被割斷舌頭而死。

(37)或爲……冰雪—管寧，字幼安，東海北海郡，朱虛縣（故城在今山東臨朐縣東）人，學行皆高。三國時，避亂遼東三十年，戴皁帽，穿布衣，吟詠詩書，不改其樂，始終不受曹魏的徵用，後人遂用「遼東帽」表示志節清高。厲冰雪，比冰雪還要潔白。或，有時候。

(38)或爲……壯烈—諸葛亮，字孔明，瑯琊郡陽都縣（今山東諸城縣）人，出任蜀相，志在北定中原。建興五年六月，出兵北伐時，兩次上表後主劉禪，表示其忠心，世人稱爲前後出師表。泣壯烈，爲他的壯烈而哭泣。

(39)或爲……胡羯—東晉時，祖逖爲豫州刺史，自請出征。在大江中流，辭色壯烈地擊楫發誓道：「祖逖不能清中原而復濟者，有如此江。」

(40)或爲……破裂—唐德宗時，悍將朱泚謀反，自稱皇帝，劫持文武百官擁護他。有次他召司農卿段秀實去商議做皇帝的事。段秀實奪了同事的象牙笏，猛擊泚頭，並唾面大罵。笏，音ㄏㄨˋ，古代朝見持以記事的手板。逆豎，叛逆的小人，指朱泚。

(41)磅礴—廣大充塞。

(42)凜烈—尊嚴而壯烈。

(43)貫日月—貫穿日月，比喻激昂壯偉，充塞於天地之間。

(44)地維……以尊—靠正氣的支持，天地才穩定不墜。地維，古人相信天有柱支撐著，地有四角。維是角。

(45)三綱實繫命—人間的綱常靠正氣來維繫。君臣、父子、夫婦爲三綱。

(46)道義爲之根—道與義是正氣的根源。

⑷遘陽九—遘，遭遇。陽九，厄運。

⑻隸也實不力—隸，賤臣之稱。不力，不盡力。意謂卑賤的臣子實在也沒有盡到能力。

⑼楚囚纓其冠—言身爲俘虜。春秋時，楚人鍾儀爲鄭國俘虜，送到晉國。晉侯看見他，問「南冠而縶者誰也？」別人說：「鄭人所獻楚囚也。」後來就稱囚犯爲「楚囚」。纓，帽帶，這裡作動詞用，繫著帽帶。

⑽傳車送窮北—傳車，驛車。窮北，遙遠的北方。

⑾鼎鑊甘如飴—鼎鑊，古代刑煮犯人之器。鑊，音ㄏㄨㄛˋ。飴，音ㄧˊ，糖。

⑿求之不可得—天祥自被俘以後，由於元世祖愛其忠，不忍殺害，所以屢次求死都不可得。

⒀陰房闃鬼火—陰暗死寂的囚室裡，不時有燐火閃耀。闃，音ㄑㄩˋ，沈靜。鬼火，燐火。

⒁閟—音ㄅㄧˋ，深閉。

⒂牛驥同一皁—驥，良馬。皁，音ㄗㄠˋ，馬槽。這裡以牛喻囚犯，以驥自喻。

⒃雞棲鳳凰食—鳳凰與雞同棲共食。文天祥自比爲鳳凰。

⒄蒙—受。

⒅分作溝中瘠—分，料想。瘠，死屍。

⒆再寒暑—兩易寒暑，經過兩年。

⒇百沴自辟易—沴，音ㄌㄧˋ，病害。辟易，退避。

(61)沮洳場—低下潮濕的地方。沮洳，音ㄐㄩˋ ㄖㄨˋ。

(62)謬巧—巧妙的方法。

(63)陰陽不能賊—陰陽，寒熱諸氣。賊，害。

(64)顧此耿耿在—顧，只是。耿耿，指光明正大的正氣。
(65)仰視浮雲白—仰視白雲，憂鄉思國。
(66)悠悠二句—憂國之心就像蒼天一樣的無窮盡。
(67)哲人—明智的人，指前面所說的先哲。
(68)典型在夙昔—古來的典範已成了歷史。典型，榜樣。夙昔，從前。
(69)古道照顏色—古人之道義正氣映照在我的容顏上。

【討論】

一、說明「三綱實繫命，道義爲之根。」之道理。
二、拘禁在環境惡劣的土牢裡，文天祥所以不病不死的原因何在？

四　指喻

方孝孺

【作者】

方孝孺，字希直，又字希古，明浙江寧海縣北鄉溪下村人。生於元順帝至正十七年（西元一三五七年），卒於明惠帝建文四年（西元一四〇二年），四十六歲。

明太祖時，蜀獻王聞其賢，聘他為世子的老師，把他的書房稱之為正學，故世人以正學代稱其名，表示對他的敬重。惠帝即位，召為翰林侍講，遷侍講學士，改文學博士。

建文四年(西元一四〇二年)，燕王朱棣起兵攻陷南京，奪取了皇位，號為明成祖。朱棣因方孝孺有文名，逼他起草登基詔書。方孝孺自惠帝被害後，日夜慟哭。聽到朱棣召見，身穿麻衣(古代的孝服)，殿見朱棣。一方面表示對惠帝遇難的哀悼；一方面是對朱棣篡奪皇位的仇恨。朱棣對他說：「你這樣做是學周公輔成王之政。」方孝孺冷笑道：「成王安在？」弄得朱棣十分狼狽。方孝孺走到桌前，提筆在詔書上大書了一個「篡」字後，投筆於地，並對朱棣說：萬世之後，你也脫不得此字！聲色俱厲，罵不絕口。

朱棣怒喝著：「你不怕滅九族嗎？」方孝孺答道：「即使滅十族，又敢奈我何？」朱棣惱羞成怒，便下令拘捕方孝孺親屬，一個一個當著方孝孺之面，綑縛殺戮，方孝孺仍面不改色，罵聲不絕，但當他的弟弟方孝友被帶到時，才流下淚來。方孝友見哥哥流淚，便隨口詠詩一首安慰道：「阿兄何必淚潸潸，取義成仁在此間，華表柱頭千載後，旅魂依舊到家山。」方孝孺寧死不屈，連他的弟弟也那樣視死如歸。結果，方孝孺被滅了十族。他的門生盧原質、鄭公智、林家猷，因都是方孝孺的學生而被殺，湊足十族之數。方孝孺在被害前，曾詠《絕命詞》一首：「天降亂離兮，熟知其由；奸臣得計兮，謀國用猶；忠臣發憤兮，血淚交流；如此殉君兮，抑有何求？嗚呼哀者兮，庶不我尤！」

方孝孺是明初著名理學家、文學家，從學於大學者宋濂，盡得其所學。方孝孺通經史，擅詩文，博學多才，但生性耿直，人稱正學先生。被害時年僅四十六歲，他被害後，朱棣餘怒未消，派人挖了方家的祖墳，並下旨：藏方孝孺文者皆死。但是，方孝孺門客仍冒著生命危險，大力收藏了方孝孺遺稿，後來編成《遜志齋集》及《方正學先生集》等。

【題解】

明代初期，天下未定，方孝孺藉這篇文章提醒得政者，說明天下之事，常發生於最細微處，而終為大患，開始時以為沒什麼要緊，最後卻無法收拾，所以小地方的問題，是君子最該謹慎注意的事。

【本文】

浦陽鄭君仲辨，其容闐然⑴，其色渥然⑵，其氣充然⑶，未嘗有疾也。他日，左手之拇有疹(4)焉，隆起而粟(5)，君疑之，以示人。人大笑，以為不足患。既三日，聚而如錢，憂之滋(6)甚，又以示人。笑者如初。又三日，拇之大盈握(7)，近拇之指，皆為之痛，若剟(8)刺狀，肢體心膂(9)無不病者。懼而謀諸醫。醫視之，驚曰：「此疾之奇者，雖病在指，其實一身病也，不速治，且能傷生。然始發之時，終日可愈(10)；三日，越旬可愈；今疾且成，已非三月不能瘳(11)。終日而愈，艾(12)可治也；越旬而愈，藥可治也；至於既成，甚將延乎肝膈(13)，否亦將為一臂之憂。非有以禦其內，其勢不止；非有以治其外，疾未易為也。」君從其言，日服湯劑，而傅(14)以善藥。果至二月而後瘳，三月而神色始復。

余因是思之：天下之事，常發於至微，而終為大患；始以為不足治，而終至於不可為。當其易也，惜(15)旦夕之力，忽之而不顧；及其既成也，積歲月，疲思慮，而僅克(16)之，如此指者多矣。蓋眾人之所可知者，眾人之所能治也，其勢雖危，而未足深畏；惟萌於不必憂之地，而寓(17)於不可見之初，眾人笑而忽之者，此則君子之所深畏也。

昔之天下，有如君之盛壯無疾者乎？愛天下者，有如君之愛身者乎？而可以為天下患者，豈特瘡痏(18)之於指乎？君未嘗敢忽之，特(19)以不早謀於醫，而幾至於甚病。況乎視之以至疏之勢，重以疲敝之餘，吏之戕摩(20)剝削以速其疾者亦甚矣！幸其為發，以為無虞而不知畏，此真可謂智也與哉？

余賤，不敢謀國，而君慮周行果，非久於布衣者也。傳不云乎：「三折肱而成良醫(21)。」君誠有位於時，則宜以拇病為戒！

【注釋】

(1)闐然：強壯的樣子。闐，音ㄊㄢˊ。

(2)渥然：形容色澤鮮紅光潤。

(3)充然：充沛的樣子。

(4)疹：皮膚上起的紅色小顆粒。

(5)而粟：像小米粒般大小。而，如也。

(6)滋甚：更加的意思。

(7)拇之大盈握：拇指腫大的可以握住。盈，滿也。

(8)剟：用刀刺或割。剟，音ㄉㄨㄛˊ。

(9)膂：脊椎骨。膂，音ㄌㄩˇ。

(10)愈：病癒。

(11)瘳：病癒。瘳，音ㄔㄡ。

(12)艾：植物名。菊科艾屬，多年生草本。莖質硬。葉具香氣，互生，呈長卵形，葉背密生白毛。秋天開淡黃或淡褐色花。葉揉成艾絨，可作印泥，亦可灸病。

(13)肝膈：體腔中，分隔胸腔與腹腔的膜狀肌肉。

(14)傅：敷。

(15)惜：愛惜，不肯花費之意。

(16)克：制止。

(17)寓：隱藏。

(18)瘡痏：瘡傷。音ㄔㄨㄤ ㄨㄟˇ。

(19)特：只因為。

(20)戕摩：殘害。

(21)三折肱而成良醫：是說多次折斷手臂，反而體會到有效的治療方法，進而成為這一方面的良醫。

【結構】

(一)記敘鄭君拇指病，因未及時求醫，險遭大患。

(二)說明天下之事，常發於至微，而終為大患，是君子之所深畏也。

(三)說明天下之病雖未發，仍應特加注意。

㈣說明有位者宜以拇病為戒。

【賞析】

我們常常忽略許多生命中的細節，很多事情，我們沒特別去留意，往往會釀成很嚴重的後果。就像方孝孺在「指喻」中所揭示的道理一樣，延伸至國家大事，也適用於這道理。中國歷代許多朝代的滅亡，真正的原因不是由於戰亂，而在於一些發於至微的細節，像是皇親國戚的特權、官員的貪污、吏治的腐敗、士大夫的無恥任意顛倒真理只為討好執權在位的人。若將這道理反觀現在的世局，更顯出方孝孺不畏強權的氣節與見著於微的真知。

【問題與討論】

一、本文的主旨是什麼？全篇的結構是如何的？
二、為什麼說「三折肱而成良醫」？
三、就你所見，試另舉一例說明「小處不注意終成大患」的道理。

五　瘞旅文

王守仁

【作者】

王守仁，字伯安，號陽明，明浙江餘姚人。

明憲宗成化八年（西元一四七二年）生。

成化二十二年（西元一四八六年），十五歲，到居庸關、山海關一帶旅行，研究山川形勢。

孝宗弘治十二年（西元一四九九年），二十八歲，中進士，授官刑部主事。

武宗正德元年（西元一五〇六年），三十五歲，因上書營救南京給事中御史戴銑等二十餘人，觸怒當權的宦官劉瑾，貶爲貴州龍場驛丞。

正德五年（西元一五一〇年），三十九歲，劉瑾被誅，升任廬陵知縣。

正德十一年（西元一五一六年），四十五歲，八月任僉都御史，巡撫南贛，討平地方土匪，爲政府和人民所信賴。

正德十四年（西元一五一九年），四十八歲，六月甯王宸濠反，起兵討平，升南京兵部尚書，封新建伯。

世宗嘉靖七年（西元一五二八年），五十七歲，十月，卒於江西南安（今江西省大庾縣），諡文成。

王守仁是明代儒學大師，晚年創立「心即理」學說，而以「致良知」、「知行合一」爲教學宗旨。他認爲「理」存在於人「心」，爲學的目的，就是要「知行合一」，把「良知」發揮出來，使心中的這份「理」充塞於天地之間。他的學說流傳得很廣，對學術思想上的影響也很大，當時人們稱爲「王學」，「心學」，又稱「姚江學派」。與二程子、朱熹一派的「理學」，爲宋明學術的兩大宗派。著有王文成公全書。

【題解】

本篇爲抒情文，也是祭文的一體。明武宗正德四年（西元一五〇九年），是作者被貶到貴州龍場驛的第四年（三十八歲），遇有被貶謫蠻荒的一位小官，帶著兒子和僕人，經過龍場，不幸三人先後死在蜈蚣坡下。王守仁憫其暴骨無主，爲之掩埋遺骸，並寫下這篇祭文來祭弔他們，一方面發抒自己的抑鬱。瘞，音一ˋ，掩埋的意思。

【本文】

維(1)正德四年(2)秋月三日，有吏目(3)云自京(4)來者，不知其名字，攜一子、一僕；將之任(5)，過龍場(6)，投宿土苗(7)家。予從籬落(8)間望見之，陰雨昏黑，欲就問訊北來事，不果。明早，遣人覘(9)之，已行矣。

薄午(10)，有人自蜈蚣坡(11)來，云一老人死坡下，傍兩人哭之哀，予曰：「此必吏目死矣，傷哉！」薄暮，復有人來云，坡下死者二人，傍一人坐哭，詢其狀，則其子又死矣。明日，復有人來云，見坡下積尸三焉，則其僕又死矣。嗚呼，傷哉！

念其暴尸⑿無主，將⒀二童子持畚鍤⒁往瘞之，二童子有難色然。予曰：「嘻，吾與爾猶彼也。」二童憫然涕下，請往。就其傍山麓爲三坎⒂，埋之。又以隻雞，飯三盂⒃，嗟吁涕洟⒄而告之曰：

嗚呼，傷哉！繄⒅何人？繄何人？吾龍場驛丞⒆餘姚王守仁也。吾與爾皆中土⒇之產，吾不知爾郡邑，爾烏爲乎(21)來爲茲山之鬼乎？古者重去其鄉(22)，遊宦不踰千里，吾以竄逐(23)而來此，宜也，爾亦何辜(24)乎？聞爾官吏目耳，俸不能五斗(25)，爾率妻子躬耕，可有也，胡爲乎以五斗而易爾七尺之軀，又不足，而益以爾子與僕乎？嗚呼，傷哉！爾誠戀茲五斗而來，則宜欣然就道，烏爲乎吾昨望見爾容蹙然(26)，蓋不勝其憂者？夫衝冒霜露，扳援(27)崖壁，行萬峰之頂，饑渴勞頓，筋骨疲憊，而又瘴癘(28)侵其外，憂鬱攻其中，其能以無死乎？吾固知爾之必死，然不謂若是其速，又不謂爾子爾僕，亦遽然奄忽(29)也！皆爾自取，謂之何哉！

吾念爾三骨之無依，而來瘞耳，乃使吾有無窮之愴也！嗚呼，痛哉！縱不爾瘞，幽崖之狐成群，陰壑之虺(30)如車輪，亦必能葬爾於腹，不致久暴露爾，爾既已無知，然吾何能爲心乎？自吾去父母鄉國而來此，三年矣，歷瘴毒而苟能自全，以吾未嘗一日之戚(31)也，今悲傷若此，是吾爲爾者重，而自爲者輕也；吾不宜復爲爾悲矣，吾爲爾歌，爾聽之！

歌曰：「連峰際天兮，飛鳥不通。遊子懷鄉兮，莫知西東。莫知西東兮，維天則同。異域殊方(32)兮，環海(33)之中。達觀隨寓(34)兮，奚必予宮。魂兮魂兮，無悲以恫(35)！」

又歌以慰之曰：「與爾皆鄉土之離兮，蠻之人言語不相知兮，性命不可期(36)，吾苟死於茲兮，率爾子僕，來從予兮！吾與爾遨(37)以嬉兮，驂紫彪而乘文螭(38)兮，登望故鄉而唏噓(39)兮！吾苟獲生歸兮，爾子爾僕尚爾隨兮，無以無侶悲兮。道傍之冢累累(40)兮，多中土之流離兮，相與呼嘯而徘徊兮，餐風飲露，無爾饑兮！朝友麋鹿，暮猿與栖兮，爾安爾居兮，無爲厲(41)於茲墟兮！

【注釋】

(1)維——發語詞，無義。

(2)正德四年——正德，明武宗年號。正德四年為西元一五〇九年。
(3)吏目——明朝在各州設置的官名，是掌緝捕盜賊，防獄囚、典主簿的小官。
(4)京——京都。
(5)之任——去上任。之，往。
(6)龍場——今貴州修文縣，當時是漢、苗雜居的邊地。
(7)土苗——當地苗人。
(8)籬落——籬笆。
(9)覘——音ㄓㄢ，探問。
(10)薄午——近午。薄，迫近。
(11)蜈蚣坡——山坡名。
(12)暴尸——屍骨暴露野外。
(13)將——帶領。
(14)畚鍤——畚，音ㄅㄣˇ，畚箕，盛土之器。鍤，音ㄔㄚˊ，鐵鍬，挖土用具。
(15)坎——坑、穴。
(16)盂——音ㄩˊ，盛飯用具。
(17)嗟吁涕洟——嗟吁，長吁短歎。涕是眼淚，洟是鼻涕。
(18)繄——音一，是。
(19)驛丞——管理驛站之官。

(20)中土—中原。
(21)烏爲—即「胡爲」，爲何，爲什麼。烏，何。
(22)重去其鄉—重視離鄉背井；亦即非不得已，決不遠離家門的意思。去，離開。
(23)竄逐—流放。
(24)辜—罪。
(25)俸不能五斗—比喻待遇之微薄。不能，不及。
(26)蹙然—憂愁的樣子。
(27)扳援—攀登。扳，音ㄅㄢ，攀。
(28)瘴癘—山林間蒸發出來的水氣，能使人中毒生病。
(29)遽然奄忽—很快地死亡。奄忽，忽然，這裡指死亡。
(30)虺—音ㄏㄨㄟˇ，蛇。
(31)戚戚—憂愁。
(32)異域殊方—異地他鄉。
(33)環海—海內。
(34)達觀隨遇—心胸開闊，隨遇而安。
(35)無悲以恫—不要悲痛。恫，音ㄊㄨㄥ，痛。
(36)期—預料。
(37)遨—遊。

(38)驂紫彪而乘文螭——驂，音ㄘㄢ，駕車之馬，這裡作動詞用，作「駕車」解。紫彪，紫色小虎。文螭，有花紋的龍。螭，音ㄔ。似龍而無角。

(39)唏噓——悲泣的樣子。

(40)冢累累——冢，墳墓。累累，衆多的樣子。

(41)厲——惡鬼。

【討論】

一、王陽明之主要學說爲何？

二、瘞旅文中，王守仁在字裡行間頗有「既痛逝者，行自念也」之感懷，能否舉例來說明。

三、王陽明與吏目的際遇相近，何以能自全不亡？

四、王陽明既知吏目必死，何以不予以救助？而於吏目死後，又何以任由其子僕相繼死去？

六　東番記

陳　第

【作者】

陳第，字季立，號一齋，又號子野子、溫麻山農，別號軒轅寄客。明世宗嘉靖十九年（西元一五四一）生於福建連江，卒於明神宗萬曆四十五年（西元一六一七）。享年七十七。他少時穎悟，為諸生時，博覽群書，意氣豪放，喜談用兵之道。

嘉靖四十一年（西元一五六二），二十二歲，該年六月日本的海盜「倭寇」大舉侵犯福建，當時的戚繼光奉檄前往剿寇，連破倭寇。八月戚繼光又至連江征倭寇，陳第曾上「平倭策」一書。

嘉靖四十五（西元一五六六），二十六歲起，在鄉里之間講學，時時關心國事。

神宗萬曆元年（西元一五七三），三十三歲，他向鎮守福建的俞大猷請教古今兵法奧義，俞氏十分激賞，曾對他說：「子當為名將，非一書生也。」

萬曆五年（西元一五七八），三十八歲，大司馬譚綸派他擔任潮河川提調，恩威並施，平定夷人之亂，政績頗受肯定。

萬曆十年（西元一五八三），四十三歲，以耿直得罪軍門吳兌而被罷官。去職後，周遊四海，足跡遍天下。晚年埋首著述，論學注重審察時義，切合日用，不作空言。

萬曆三十年（西元一六〇三），六十三歲，陳第隨沈有容（一五五六～一六二九）將軍前往東番勦倭寇，沈有容在殲滅倭寇後，帶著軍隊在大員（今台南市安平）駐紮了二十多天，陳第於此二十幾天中，走訪當地原住民的習尚及風土人情，就在隔年（萬曆三十一年）的春天，陳第就將走訪所得筆之於文，撰成「東番記」一文。

陳第是明代的名將，也是一位碩儒。金雲銘先生曾稱譽陳第是「以名將而兼碩儒，且為明代之大旅行家」。

學術著有《尚書疏衍》四卷、《毛詩古音考》四卷、《屈宋古音義》三卷，以上三書奠定了古音學研究的基礎，對後世古音學研究的發展有很大的貢獻。另有著《伏羲圖贊》二卷、《一齋詩集》十三卷等書行世。

【題解】

本文選自沈有容輯《閩海贈言》卷二。「東番記」描寫了十七世紀初葉，臺灣西南部平原，從今之布袋、新港附近，到屏東沿海一帶「平埔族」社會的情況。家族是由女性傳承，農業生產以旱耕為主，重視土地環保，狩獵十分發達，珍惜自然資源。同時，對生活習慣、婚姻方式、喪葬、飲食、各種器具、裝飾品、物產及對外貿易等，都有翔實的記載。就作者觀察的深刻，敘述的詳細而言，可以說是一篇上乘的遊記。

陳第本著「華人」的立場，撰寫這篇考察記錄，其中提到當時臺灣平埔族有：斬敵首，門懸骷髏。尸埋屋內。男性裸體，女結草裙，微蔽下體等情形。如今我們當作野蠻不文明的行為，畢竟是臺灣古代社會發展過程中的習俗，經中國的漢化後，這些習俗，早已隨著歷史的腳步而消弭了。

「東番記」的價值有四：一為中國記載臺灣最早、最確實的地理文獻。二為研究臺灣史事之珍貴史料。三為補《明史・沈有容傳》之闕誤。四為補《臺灣史事》與《臺灣詩乘》之闕漏。

【本文】

東番夷人⑴不知所自始，居彭湖外洋海島中。起魍港⑵、加老灣⑶，歷大員⑷、堯港⑸、打狗嶼⑹、小淡水⑺、雙溪口⑻、加哩林⑼、沙巴里⑽、大幫坑⑾，皆其居也。斷續凡千餘里，種類甚蕃，別為社，社或千人，或五六百。無酋長，子女多者眾雄之，聽其號令。性好勇，喜鬥，無事晝夜習走。足蹋皮厚數分，履荊刺如平地，速不後犇馬⑿，能終日不息，縱之，度可數百里。鄰社有隙⒀則興兵，期而後戰⒁。疾力相殺傷，次日即解怨，往來如初，不相讎。所斬首，剔⒂肉存骨，懸之門，其門懸骷髏多者，稱壯士！壯士！

地暖，冬夏不衣。婦女結草裙，微蔽下體而已。無揖讓拜跪禮，無曆日、文字，計月圓為一月，十月為一年，久則忘之，故率不紀歲，艾耆老髦⒃，問之，弗知也。交易，結繩以識⒄，無水田，治畬⒅種禾，山花開則耕，禾熟，拔其穗，粒米比中華稍長，且甘香。採苦草，雜米釀，間有佳者，豪飲能一斗。時燕會，則置大罍⒆，團坐，各酌以竹筩，不設肴。樂起跳舞，口亦烏烏若歌曲。男子剪髮，留數寸，披垂；女子則否。男子穿耳，女子斷齒，以為飾也（女子年十五、六，斷去唇兩旁二齒）。地多竹，大數拱⒇，長十丈。伐竹搆㉑屋，茨㉒以茅，廣長數雉㉒，族又共屋，一區稍大，曰公廨㉔。少壯未娶者，曹㉕居之。議事必於公廨，調發易也。

娶則視女子可室㉖者，遣人遺瑪瑙珠雙，女子不受則已；受，夜造其家，不呼門，彈口琴挑之。口琴，薄鐵所製，齧㉗而鼓之，錚錚有聲。女聞，納宿，未明徑去，不見女父母。自是宵來晨去必以星，累歲月不改。迨產子女，婦始往婿家迎婿，如親迎，婿始見女父母。遂家其家㉘，養女父母終身，其本父母不得子也。故生女喜倍男，為女可繼嗣，男不足著代㉙故也。妻喪復娶，夫喪不復嫁，號為「鬼殘」㉚，終莫之醮㉛。家有死者，擊鼓哭，置尸於地，環煏㉜以烈火，乾，露置屋內，不棺。屋壞重建，坎屋基下，立而埋之，不封，屋又覆其上，屋不建，尸不埋。然竹楹茅茨㉝，多可十餘稔㉞。故終歸之土，不祭。

當其耕時，不言不殺㉟，男婦雜作山野，默默如也。道路以目，少者背立，長者過，不問答，即華人侮之，不怒。禾熟復初，謂不如是，則天不祐、神不福，將凶歉，不獲有年也。女子健作；女常勞，男常逸。盜賊之禁嚴，有則戮於社。故夜門不閉，禾積場，無敢竊。器有牀，無几案，席地坐。穀有大小，豆有胡麻、又有薏仁，食之已瘴癘(36)；無麥。蔬有葱、有薑、有番薯、有蹲鴟(37)，無他菜。菓有椰、有毛柿、有佛手柑、有甘蔗。畜有貓、有狗、有豕、有雞，無馬、驢、牛、羊、鵞、鴨。獸有虎、有熊、有豹、有鹿。鳥有雉、有鴉、有鳩、有雀。

山最宜鹿，儦儦俟俟(38)，千百為群。人精用鏢。鏢，竹棅(39)鐵鏃(40)，長五尺有咫(41)，銛(42)甚。出入攜自隨，試鹿鹿斃，試虎虎斃。居常，禁不許私捕鹿。冬，鹿群出，則約百十人即之，窮追既及，合圍衷(43)之，鏢發命中，獲若丘陵，社社無不飽鹿者。取其餘肉，離而腊之(44)；鹿舌、鹿鞭（鹿陽也）、鹿筋亦臘；鹿皮、角委積(45)充棟。鹿子善擾，馴之，與人相狎習。篤嗜鹿，剖其腸中新咽草將糞未糞者，名「百草膏」，旨(46)食之，不饜(47)。華人見，輒嘔。食豕不食雞，畜雞任自生長，惟拔其尾飾旗。射雉，亦只拔其尾。見華人食雞雉，輒嘔。夫孰知正味乎？又惡(48)在口有同嗜也？

居島中，不能舟，酷畏海，捕魚則於溪澗，故老死不與他夷(49)相往來。永樂初，鄭內監(50)航海諭(51)諸夷，東番獨遠竄，不聽約，於是家貽一銅鈴，使頸之，蓋狗之也(52)。

至今猶傳為寶。始皆聚居濱海，嘉靖末，遭倭(53)焚掠，迺避居山。倭鳥銃(54)長技，東番獨恃鏢(55)，故弗格(56)。居山後，始通中國，今則日盛。漳、泉之惠民(57)、充龍(58)、烈嶼(59)諸澳，往往譯其語，與貿易；以瑪瑙、磁器、布、鹽、銅簪環之類，易其鹿脯(60)、皮角。間遺(61)之故衣，喜藏之，或見華人，一著(62)，旋復脫去。得布亦藏之。不冠不履，裸以出入，自以為易簡云。

野史氏(63)曰：「異哉東番！從烈嶼諸澳，乘北風航海，一晝夜至彭湖，又一晝夜至加老灣，近矣。迺(64)有不日不月，不官不長(65)，裸體結繩之民，不亦異乎！且其在海而不漁，雜居而不嬲(66)，男女易位(67)，居瘞(68)共處。窮年捕鹿，鹿亦不竭。合其諸島(69)，庶幾中國一縣。相生相養，至今曆日書契，無而不闕，抑何異也！南倭北虜(70)，皆有文字，類鳥跡古篆，意其初有達人制之耶！而此獨無，何也？然飽食嬉遊，于于衎衎(71)，又惡(72)用達人為？其無懷、葛天(73)之民乎？自通中國，頗有悅好，姦人又以濫惡(74)之物欺之，彼亦漸悟，恐淳朴日散矣。萬曆壬寅冬(75)，倭復據其島，夷及商、漁交病(76)。浯嶼(77)沈將軍(78)往勦，余適有觀海之興，與俱。倭破，收泊(79)大員，夷目(80)大彌勒輩率數十人叩謁，獻鹿餽酒，喜為除害(81)也。予親覩其人與事，歸語溫陵陳志齋(82)先生，謂不可無記，故掇(83)其大略。」

【注釋】

(1)東番夷人：東番即指臺灣。因為臺灣位於福建的東邊，故早在明代人們就以「東番」稱呼臺灣。夷人指臺灣西南部原住民之風俗習慣與物產，這裡的原住民以「平埔族」為代表。

(2)魍港：即莽港、蚊港，約在今嘉義布袋虎尾寮一帶。

(3)加老灣：即加老灣島，又作咖咾員，今臺南縣七股鄉一帶。

(4)大員：又作大圓、台圓等，今臺南市安平。

(5)堯港：即蟯港，今高雄茄萣、崎漏一帶。

(6)打狗嶼：即打狗山，即現在高雄市。

(7)小淡水：即下淡水，今高屏溪一帶。

(8)雙溪口：今屏東縣東港。

(9)加哩林：今臺南佳里興。

(10)沙巴里：今淡水北邊及三芝鄉一帶。

(11)大幫坑：今臺北縣八里鄉觀音山的大坌坑社。

(12)犇馬：奔跑的馬。犇，音ㄅㄣ，即「奔」。

(13)鄰社有「隙」：嫌怨。

(14)「期」而後戰：約定時間。

⒂剔：音ㄊㄧˋ，用刀刮。

⒃艾耆老髦：指老人，艾，老人。耆，音ㄑㄧˊ，泛稱老人。髦，音ㄇㄠˊ，毛髮中較長者為「髦」，「老髦」借指「老人」。

⒄結繩以「識」：音ㄓˋ，記號。識，同「誌」。

⒅治畬：整理待火耕的荒田。畬，音ㄕㄜ，待火耕的荒田。

⒆大「罍」：音ㄌㄟˊ，古酒樽，形似壺而表面刻鑄有雲雷花紋的盛酒器。

⒇大數拱：竹子粗大得可由數人圍抱。拱，音ㄍㄨㄥˇ，用兩手合抱。

(21)伐竹「構」屋：音ㄍㄡˋ，搭建。

(22)「茨」以茅：音ㄘˊ，用茅草或蘆葦覆蓋的屋頂。

(22)廣長數「雉」：雉，音ㄓˋ，量詞，古代計算城牆面積的單位。長三丈，高一丈為一雉。

(24)公廨：政府機關辦公的房子。廨，音ㄒㄧㄝˋ。

(25)「曹」居之：群眾、同伴。

(26)可「室」：娶妻、成家。

(27)齧：音ㄋㄧㄝˋ，咬、啃。

(28)遂家其家：於是以女子的家為家。第一個「家」是動詞，第二個「家」是名詞。

(29)著代：擁有顯著的後代。

(30)鬼殘：鬼的剩餘品。此處指「寡婦」為「鬼殘」。

(31)終莫之「醮」：音ㄐㄧㄠˋ。古成年男子行冠禮後或婚禮親迎前父親酌酒使飲的禮節。

(32)環「煏」以烈火：音ㄅㄧˋ，用火將肉烤乾。
(33)茅茨：茨，音ㄘˊ，亦作「茆茨」。茅草蓋的屋頂，或指茅屋。
(34)多可十餘「稔」：音ㄖㄣˇ，稻穀成熟曰「稔」。中國古代種稻地區，大部分一年一熟，故以「稔」為「年」的代稱。
(35)不言不殺：不交談也不爭鬥。
(36)食之已瘴癘：吃薏仁可以治癒瘴癘之病。已，病癒。瘴癘，音ㄓㄤˋ ㄌㄧˋ，人因接觸到山林間濕熱蒸發的毒氣而生的疾病。
(37)蹲鴟：芋頭的別名，因大芋頭像蹲伏著的鴟鷹，故稱「芋頭」為「蹲鴟」。鴟，音ㄔ。
(38)儦儦俟俟：此指群獸眾多且徐行之狀。儦儦，音ㄅㄧㄠ ㄅㄧㄠ，眾多的樣子。俟俟，音ㄙˋ ㄙˋ，野獸徐行的樣子。
(39)竹「棅」：音ㄅㄧㄥˇ，柄。
(40)鐵「鏃」：音ㄗㄨˊ，箭頭。
(41)長五尺有「咫」：音ㄓˇ，古代的長度單位。周制八寸為一咫。
(42)「銛」甚：音ㄒㄧㄢ，鋒利、銳利。
(43)合圍「衷」之：中心。
(44)離而腊之：將肉分割並製成肉乾。腊，音ㄒㄧˊ，肉乾，在此當動詞用。
(45)委積：堆積。
(46)旨：旨同「脂」，脂膏。

(47)饜：音ㄧㄢˋ，滿足。
(48)惡：音ㄨ，疑問代詞。相當於「何、安、怎麼」。
(49)他夷：其他的原住民族群。
(50)鄭內監：鄭和（一三七一～一四三三）。
(51)諭：音ㄩˋ，明示。
(52)蓋狗之也：乃是因為將他們視為狗。
(53)倭：音ㄨㄛ，日本海盜稱「倭寇」。
(54)鳥銃：即「鳥嘴銃」，武器名。使用於明代，管以銅鑄成，上有梟形，可用以瞄準，裝上火藥，殺傷力強。銃，音ㄔㄨㄥˋ。
(55)鏢：音ㄅㄧㄠ，鏢鎗。
(56)弗格：無法與倭人匹敵對抗。
(57)漳、泉之惠民：福建省的漳州與泉州這二府曾對東番百姓施過恩惠。
(58)充龍：充龍在廈門，今有充龍村。
(59)烈嶼：又名小金門，在今金門西南方。
(60)鹿脯：脯，音ㄈㄨˇ。鹿脯指鹿肉乾。
(61)間遺：遺，音ㄨㄟˋ。間遺指偶爾贈送。
(62)一著：著，音ㄓㄨㄛˊ。一著指穿一次。
(63)野史氏：作者自稱。仿司馬遷《史記》篇末「太史公曰」的體例。

(64)迺：音ㄋㄞˇ，竟然。

(65)不官不長：沒有行政單位的主管官吏。

(66)雜居而不嬲：嬲，音ㄋㄠˇ。指男女雖然互相雜居，但卻不會勾搭戲弄。附：嫐，音ㄋㄠˇ，亦指戲弄也。

(67)易位：角色地位互相交換改變。

(68)居「瘞」：音ㄧˋ，埋藏、埋葬。居瘞指住所和埋藏處。

(69)合其諸島：指烈嶼(小金門)、彭湖及東番(臺灣島)這些島嶼總合起來。

(70)北虜：古代對北方匈奴等少數民族的蔑稱。

(71)于于衎衎：自足和樂的樣子。于于，自足的樣子。衎衎，音ㄎㄢˋ ㄎㄢˋ，和樂的樣子。

(72)又「惡」：音ㄨ，何必。

(73)無懷、葛天：指太古時代的無懷氏和葛天氏。參見陶淵明「五柳先生傳」。

(74)濫惡：惡劣，質量低劣。

(75)萬曆壬寅冬：指明神宗萬曆三十（一六〇二）年冬。

(76)夷及商、漁交病：原住民、商人和漁人都因此感到痛苦。

(77)浯嶼：島名，在今福建漳州的龍海市。

(78)沈將軍：明將沈有容，宣城人，好兵略，武舉出身。因屢建軍功，獲福建巡撫金學曾重用，今守福建浯嶼、銅山。日本海盜攻佔臺灣（時稱「東番」），沈有容率領二十一艘軍艦出海，大破之，海上因此有十年之久的安寧歲月。

(79)收泊：收指收復。泊指棲止、停留。

(80)夷目：指在台南市安平附近的原住民頭目。
(81)為除害：指沈有容將軍幫忙除掉日本海盜一事。
(82)陳志齋：沈有容在溫陵（今泉州）的友人。
(83)掇：音ㄉㄨㄛˊ，選取。

【討論】

一、你認同本文所記載男女追求愛情的方式和婚姻的習俗嗎？
二、試述當時東番人與華人貿易的方式。
三、請分析本文中所提到喪葬儀式，您有何看法？
四、本文記載他們如與鄰社有衝突時，採取「期而後戰，……次日即解怨，往來如初。」您對這種暴力解決方式，隔日握手言和的風度，有何看法？
五、作者對東番人的行為，最感到驚訝的部分有那些？
六、在狩獵方面，規定只能在冬季集體捕鹿，禁止私人濫捕，這是為了什麼？

七　原君

黃宗羲

【作者】

黃宗羲，字太沖，號梨洲，學者稱南雷先生，浙江餘姚人。生於明神宗萬曆三十八年（西元一六一〇年），卒於清聖祖康熙三十四年（西元一六九五年），年八十六。

十九歲時，父親黃尊素，以忠直爲宦官魏忠賢所害，黃宗羲入京訟冤，終得昭雪。清兵南下，在浙東起義，號稱「世忠營」，轉戰於沿海一帶。後來自知難有作爲，便歸里奉母，專注於著述講學。康熙時，以博學鴻儒徵用，又召修明史，均不赴任。

黃宗羲精研經史，通曉天算、百家。爲學主張先窮經義，而求事實於史。著有明儒學案、宋元學案、明夷待訪錄等書。文集有南雷文定十六卷，另編有明文海四百八十二卷。

【題解】

「原」是推究本始之意。本文旨在推原生民設君之緣由，並論後世之爲人君者，皆殘民自肥，爲害天下，已非設君之道。作者在文中縱論歷史得失，抒寫理想的政治制度，可供復興建國者參考。

【本文】

有生之初，人各自私也，人各自利也；天下有公利而莫或⑴興之，有公害而莫或除之。有仁者出，不以一己之利為利，而使天下受其利，不以一己之害為害，而使天下釋⑵其害。此其人之勤勞，必千萬於天下之人，夫以千萬倍之勤勞，而己又不享其利，必非天下之人情所欲居也，故古之人君量⑶而不欲入者，許由⑷、務光⑸是也，入而又去之者，堯、舜⑹是也，初不欲入而不得去者，禹是也。豈古之人有所異哉？好逸惡勞，亦猶夫人之情⑺也。

後之為人君者不然，以為天下利害之權⑻皆出於我，我以天下之利盡歸於己，以天下之害盡歸於人，亦無不可。使天下之人不敢自私，不敢自利，以我之大私，為天下之公。始而慚焉，久而安焉。視天下為莫大之產業，傳之子孫，受享無窮；漢高帝所謂「某業所就，孰與仲多」⑼者，其逐利之情，不覺溢之於辭矣！

此無他，古者以天下為主，君為客，凡君之所畢世而經營者，為天下也；今也以君為主，天下為客，凡天下之無地而得安寧者，為君也。是以其未得之也，屠毒天下之肝腦，離散天下之子女，以博⑽我一人之產業，曾不慘⑾然，曰：「我固爲子孫創業也！」其既得之也，敲剝天下之骨髓，離散天下之子女，以奉我一人之淫樂，視爲當然，曰：「此我產業之花息⑿也！」

然則爲天下之大害者，君而已矣；向使無君，人各得自私也，人各得自利也。嗚呼！豈設君之道，固如是乎？

古者天下之人，愛戴其君，比之如父，擬之如天，誠不爲過也；今也天下之人，怨惡其君，視之如寇讎⒀，名之爲獨夫⒁，固其所也。而小儒規規⒂焉，以君臣之義無所逃於天地之間，至桀、紂⒃之暴，猶謂湯、武⒄不當誅之，而妄傳伯夷、叔齊⒅無稽之事，視兆人⒆萬姓⒇崩潰之血肉，曾不異夫腐鼠㉑，豈天地之大，於兆人萬姓之中，獨私其一人一姓乎？是故武王，聖人也，孟子之言㉒，聖人之言也，後世之君，欲以如天如父之空名，禁人之窺伺者，皆不便於其言；至廢孟子而不立，非導源於小儒乎？

雖然，使後之爲君者，果能保此產業，傳之無窮，亦無怪乎其私之也；既以產業視之，人之欲得產業，誰不如我？攝緘縢，固扃鐍㉓，一人之智力不能勝天下欲得之者之衆；遠者數世，近者及身，其血肉之崩潰，在其子孫矣。昔人願「世世無生帝王家」，而毅宗(24)之語公主，亦曰：「若何爲生我家！」痛哉斯言！回思創業時，其欲得天下之心，有不廢然摧沮(25)者乎？

是故明乎爲君之職分，則唐、虞之世，人人能讓，許由、務光非絕塵(26)也；不明乎爲君之職分，則市井之間，人人可欲，許由、務光所以曠(27)後世而不聞也。然君之職分難明，以俄頃(28)淫樂，不易無窮之悲(29)，雖愚者亦明之矣。

【注釋】

(1)或—有人。
(2)釋—離開，避免。
(3)量—審度。
(4)許由—字武仲，陽城槐里人。行誼方正，隱於沛澤，堯讓給他天下，不受，隱耕於箕山下。
(5)務光—夏人。湯伐桀，想把天下讓給他，乃負石自沈於廬水。
(6)堯、舜—以禪讓傳國。
(7)猶夫人之情—跟現在人的心理相同。
(8)權—權衡，掌握，控制。

(9)漢高帝……多—這是漢高帝對他父親所說的話。仲，排行第二，指高帝的二哥。「孰與仲多」即「與仲孰多」。

(10)博—得取。

(11)曾不慘然—卻一點都不覺得傷痛。曾，音ㄗㄥ，卻，竟然。

(12)花息—花紅利息。

(13)寇讎—仇敵。以下所談的觀念都是孟子的看法。

(14)獨夫—指天命已絕，人心已去，僅剩一人。

(15)規規—見識狹小。

(16)桀、紂—夏、商之暴君。

(17)湯、武—即商湯、周武王。

(18)伯夷、叔齊—商孤竹君之二子，以兄弟讓國有名。周武王滅紂有天下，二人義不食周粟，餓死於首陽山。

(19)兆人—兆民。

(20)萬姓—人民。

(21)腐鼠—喻輕賤之物。

(22)孟子之言—上述「獨夫」「寇讎」等觀念，都是孟子書中的政治要言。

(23)攝緘縢……扃鐍—意指用繩子綑得牢牢的，用鎖鎖得緊緊的，防止別人竊盜。攝，結。緘、縢，皆束物之索。扃，音ㄐㄩㄥ，關紐。鐍，音ㄐㄩㄝˊ，鎖鑰。

(24)毅宗—明崇禎帝，名由儉。

(25)廢然摧沮—廢然，癱軟無力的樣子。摧沮，摧折沮喪的樣子。
(26)絕塵—超絕不可及。
(27)曠—缺，沒有。
(28)俄頃—片刻。
(29)不易句—指世人永不能分辨職分，終將墮入樂極生悲的覆轍，而無法改變無窮的悲痛。

【討論】

一、古今君主治天下有何不同的心理？
二、世人何以有「世世無生帝王家」的感歎？

八　左忠毅公軼事

方　苞

【作者】

方苞，字靈皐，號望溪，原籍安徽桐城縣，寄籍江蘇上元。生於清康熙七年（西元一六六八年），卒於乾隆十四年（西元一七四九年），年八十二。

康熙三十七年（西元一六九八年），三十一歲，中鄉試第一。康熙四十四年（西元一七〇五年），三十八歲，中進士，因母病逝，未參加廷試即回家奔喪。康熙四十五年，三十九歲，參加禮部會試，中式，歷官至內閣學士，禮部右侍郎。後來因同邑戴名世所著南山集序列方苞名字，被牽連下獄論死，康熙說：「方苞學問，天下莫不聞。」特旨赦免。繼而擔任武英殿修書總裁，編輯大清一統志、皇清文穎、欽定制義、周禮義疏等書。

方氏論文講求義法（內容與章法），尊尙典雅，以史記、漢書，韓愈、歐陽修之古文爲正宗，後世譽爲桐城派之祖。著有望溪文集、春秋通論、儀禮析疑、周官集注、禮記析疑等書。

【題解】

左忠毅公，即左光斗，明朝桐城人，生於神宗萬曆三年（西元一五七五年）。三十三歲中進士，曾任中書舍人、監察御史、左僉都御史，行事忠直，不畏權勢。明熹宗天啓年間（西元一六二一年—一六二七年），與楊漣協力排斥宦官，爲魏忠賢所誣入獄，與楊同死於獄中（西元一六二五年），年五十一歲。思宗崇禎二年（西元一六二九年），加贈太子少保。福王弘光元年（西元一六四五年），追諡忠毅。

本文藉史傳所不載的一段軼事，寫出左光斗與史可法師生間的眞愛，由個人情感，以至於愛國愛民的情操，皆爲鐵石冰霜的至情。

【本文】

先君子⑴嘗言：鄉先輩⑵左忠毅公視學京畿⑶。一日，風雪嚴寒，從⑷數騎出，微行⑸。入古寺，廡⑹下一生伏案臥，文方成草，公閱畢，即解貂覆生，爲掩戶⑺，叩⑻之寺僧，則史公可法⑼也。及試，吏呼名，至史公，公瞿然⑽注視；呈卷，即面署第一⑾。召入，使拜夫人⑿，曰：「吾諸兒碌碌⒀，他日繼吾志事，惟此生耳。」

及左公下廠獄⒁，史朝夕窺獄門外。逆閹⒂防伺⒃甚嚴，雖家僕不得近。久之，聞左公被炮烙⒄，旦夕且⒅死，持五十金，涕泣謀於禁卒⒆，卒感焉。一日，使史更敝衣草屨⒇，背筐，手長鑱㉑，爲㉒除不潔者。引入，微指㉓左公處，則席地倚牆而坐，面額焦爛不可辨，左膝以下，筋骨盡脫㉔矣。史前跪，抱公膝而嗚咽，公辨其聲，而目不可開，乃奮臂以指撥眦㉕，目光如炬㉖，怒曰：「庸奴㉗！此何地也，而汝來前！國家之事，糜爛至此，老夫已矣，汝復輕身而昧大義(28)，天下事誰可支拄(29)者！不速去，無俟姦人構陷(30)，吾今即撲殺汝。」因摸地上刑械，作投擊勢。史噤(1)不敢發聲，趨而出。後常流涕述其事以語人曰：「吾師肺肝，皆鐵石所鑄造也！」

崇禎(32)末，流賊張獻忠(33)出沒蘄、黃、潛、桐間(34)，史公以鳳廬道(35)奉檄(36)守禦，每有警，輒數月不就寢，使將士更休，而自坐幄幕(37)外。擇健卒十人，令二人蹲踞，而背倚之，漏鼓移，則番代(38)。每寒夜起立，振(39)衣裳，甲上冰霜迸落(40)，鏗然有聲(41)。或勸以少休，公曰：「吾上恐負朝庭，下恐愧吾師也。」

史公治兵，往來桐城，必躬造左公第(43)，候太公、太母起居(44)，拜夫人於堂上。

余宗老塗山(45)，左公甥也，與先君子善，謂獄中語乃親得之於史公云(46)。

【注釋】

(1)先君子──稱已死去的父親，又稱先君、先父、先考。
(2)鄉先輩──同鄉前輩。
(3)京畿──京城近郊。明熹宗天啓元年（西元一六二一年），左光斗四十七歲，任欽差提督學政巡按直隸監察御史，當時史可法十八歲。

(4)從——帶著隨從，當動詞用。

(5)微行——不著官服，私下查訪。

(6)廡——正堂兩側的廂房。

(7)戶——單扇的門。

(8)叩——問。

(9)史公可法——史可法（西元一六〇四——一六四五），字憲之，又字道鄰，河南人。崇禎元年（西元一六二八年）中進士，歷官右僉都御史，皖、豫巡撫，南京兵部尙書。福王立，加授武英殿大學士。清兵南犯，在揚州督師抵禦，城破被俘，不屈而死。

(10)瞿然——驚奇樣子。

(11)面署第一——當面批爲第一名。

(12)夫人——左光斗繼配戴夫人。

(13)碌碌——平庸無能，自謙詞。

(14)下廠獄——被關在東廠監獄。明設東、西廠，掌理緝訪謀逆等事，由宦官主持。武宗時僅存東廠。熹宗天啓五年（西元一六二五年），左光斗五十一歲，與楊漣彈劾魏忠賢亂政，被魏先下手誣陷他接受邊將熊廷弼賄賂，逮捕入獄，不屈，被害。

(15)逆閹——謀逆的宦官，指魏忠賢等人。閹（ㄧㄢ），宦官的通稱。

(16)防伺——戒備偵察。

(17)炮烙——以燒紅的鐵器灼身體的刑法。相傳是商紂王所用的酷刑。
(18)且——即將。
(19)禁卒——看守監獄的小兵。
(20)敝衣草屨——敝衣，破衣服。草屨，草鞋。屨，音ㄐㄩˋ。
(21)手長鑱——拿著拾垃圾的長柄鏟子。手，當動詞，執，拿。鑱，音ㄔㄢˊ。
(22)爲——通「僞」，僞裝成……。
(23)微指——暗指。
(24)筋骨盡脫——筋與骨完全脫離。脫，離骨。
(25)撥眥——撥開眼皮。眥，音ㄗˋ。眼眶。
(26)目光如炬——眼睛明亮有神，有如火炬。
(27)庸奴——相當於蠢材。
(28)輕身而昧大義——輕視生命不明大義。
(29)支拄——支持。拄，音ㄓㄨˇ，支撐。
(30)構陷——設計陷害。
(31)噤——閉口。
(32)崇禎——明思宗年號。
(33)張獻忠——明陝西延安人，崇禎時爲流寇，與李自成相呼應。曾攻陷成都，僭稱大西國王，後被清兵打敗而死。

(34)蘄、黃、潛、桐—蘄（ㄑㄧˊ），今湖北省蘄春、沙水二縣。黃，今湖北省黃岡縣。潛，今安徽省潛山縣。桐，今安徽省桐城縣。

(35)鳳廬道—明朝時鳳陽、廬江兩府的兵備道。鳳陽府，在今安徽省鳳陽縣。廬江府，在今安徽省廬江縣。

(36)奉檄—奉命。檄（ㄒㄧˊ），本是號令徵召曉諭的官方文書，後來多用於討伐軍旅之事；急件則插上羽毛，謂之羽檄。

(37)幄幕—帳幕。幄（ㄨㄛˋ），軍中的帳幕。

(38)漏鼓移，則番代—每過一更鼓，就換人。漏，古時候的計時器。鼓，夜間報更用的鼓。漏鼓移，表示時間轉移。番代，更番替代。

(39)振—抖動。

(40)迸落—跳落。迸（ㄅㄥˋ），裂開。

(41)鏗然有聲—聲音清脆，指冰結得很硬實。

(42)或—有人。

(43)躬造左公第—親自到左公府宅拜訪。造，拜訪。第，住宅。

(44)候太公、太母起居—向左光斗父母請安。太公、太母，指左光斗的父母。候……起居，請安。

(45)宗老塗山—宗老，同族中行輩較高的。塗山，名文，字爾止，清順治時隱居江寧，爲方苞族祖。

(46)云—語末助詞，無義。

【討論】

一、讀完本文後，同學們認爲有那些材料值得懷疑？

二、作者對於可疑之處如何交代，你認爲細密嗎？

九　病梅館記

龔自珍

【作者】

龔自珍，字璱人，一字爾玉，又名鞏祚、易簡，號定盦，晚號雨垳山民。清高宗乾隆五十七年（西元一七九二）生於浙江省仁和（今杭州），卒於清宣宗道光二十一年（一八四一）。

他出身於世代官僚文士的家庭，二十七歲考上中舉，一直到三十八歲參加第六次會試，終於考中進士。由內閣中書官至禮部祠祭司行走、主客司主事，但是他「一生困厄下僚」。

道光十九年（西元一八三九），四十八歲，辭官南歸。

道光二十一年（西元一八四一），五十歲，逝世於江蘇丹陽雲陽書院。

龔自珍具有奇情俠骨，他常常用「劍」和「簫」來寄託他的志向，「劍」代表改革社會的才能，「簫」代表抒發思想的作品。他的家學淵源，外祖父段玉裁是小學名家，自幼受母親段馴教育薰陶，好讀詩文。博覽群書，貫通百家，博識雜學、佛學。研究經史、小學、目錄學、金石學，蒐集古今掌故、考古今官制，研究地理、碑帖書法，編詩、詞集等。

龔自珍是清朝嘉慶至道光年間，「今文經」學派的重要代表人物，也是清末思想家、文學家的代表人物。

本文寫於道光十九年（西元一八三九），是作者辭官南歸之後寓居江蘇昆山時所作，選錄自龔自珍的

《定盦文集續集》，屬記敘兼議論文體。

【題解】

本文作於道光十九年（西元一八三九），作者辭官南歸杭州之後，寓有政治改革的理想，應寄託在人才的解放上。

「梅」為本文的中心形象。以「自然之梅」比喻個性不受束縛的俊傑之才，以「病梅」比喻被束縛、被摧殘的人才。

本文圍繞「梅」闡發三種人物的形象：文人畫士、鬻梅者、作者本身。作者託梅議政，以「梅」自喻，曲折揭露了封建傳統思想和病態社會對思想的束縛；以及對人才的壓制和摧殘，文中屢見作者要求改革政治的心聲願望。

【本文】

江寧之龍蟠，蘇州之鄧尉，杭州之西溪，皆產梅。

或曰：「梅以曲為美，直則無姿⑴；以欹⑵為美，正則無景⑶；梅以疏為美，密則無態。」固⑷也。此文人畫士，心知其意，未可明詔大號⑸，以繩⑹天下之梅也；又不可以使天下之民，斫⑺直，刪密，鋤正⑻，以夭⑼梅、病梅⑽為業以求錢也。梅之欹、之疏、之曲，又非蠢蠢(11)求錢之民，能以其智力為也。

有以文人畫士孤癖(12)之隱，明告鬻(13)梅者，斫其正，養其旁條(14)，刪其密，夭(15)其稚枝，鋤其直，遏(16)其生氣，以求重價，而江、浙之梅皆病(17)。文人畫士之禍之烈至此哉！

予購三百盆，皆病者，無一完者。既泣之三日，乃誓療之、縱之、順之，毀其盆，悉埋於地，解其棕(18)縛；以五年為期，必復(19)之全之。予本非文人畫士，甘受詬厲(20)，闢病梅之館以貯之。

嗚呼！安得使予多暇日，又多閒田，以廣貯江寧、杭州、蘇州之病梅，窮予生之光陰以療梅也哉？

【注釋】

(1)直則無「姿」：姿態、風韻。
(2)以「欹」為美：音ㄑㄧ，傾斜。
(3)無「景」：景致。

(4)「固」也：誠然如此。
(5)「大號」：大聲號召。
(6)以「繩」天下之梅：衡量。
(7)「斫」直：音ㄓㄨㄛˊ，砍也。
(8)鋤正：去掉端正。
(9)「夭」梅：音ㄧㄠˇ，通「殀」。催折。
(10)病梅：使梅病殘。「病」，為使役動詞用法。
(11)蠢蠢：百姓昏亂、愚昧的樣子。
(12)孤「癖」：音ㄆㄧˇ，又音ㄆㄧˋ。
(13)「鬻」梅者：音ㄩˋ，賣也。
(14)養其旁條：培養橫斜的岔枝。
(15)夭其稚枝：夭，音ㄧㄠˇ，「夭」通「殀」。摧折幼嫩的枝條。
(16)「遏」其生氣：遏，音ㄜˋ，阻止它的生機。
(17)江、浙之梅皆病：江蘇、浙江的梅都是病梅。
(18)「椶」縛：音ㄗㄨㄥ，通「棕」，指棕繩。
(19)「復」之全之：恢復。
(20)詬厲：詬，音ㄍㄡˋ，詬病。

【討論】

一、作者對療梅的困難、態度、方法是什麼？
二、梅花的病態表現是什麼？
三、世人對梅的美醜有怎樣的評價標準？
四、作者以梅為喻的手法是什麼手法？
五、你認為現今教育有無「病梅」現象？請按照實際發表自己的見解。

一〇　孟子㈢——性、命

【題解】

孟子闡揚人性本善，強調人須順其善性，加以擴充，以完成聖境之修養。這是主觀在我的部分，是人力可及的。

另一方面，孟子也知道宇宙中有人力不可及的客觀因素存在，人只能順應它，不能想改變它，這就是所謂的「命」。它與所謂的「命運」不同，它只是人力所不及的客觀條件，並不是限定「結果」的「命」。

由於有客觀的「命」存在，人無法去干預，因此，人所要做的，只是安於自身，克盡其性而已。至於「命」，除了了解它（「知命」）以外，是不可預期的。

【本文】

1.孟子曰：「口之於味也，目之於色也，耳之於聲也，鼻之於臭也，四肢之於安佚也，性也，有命焉，君子不謂性也⑴。仁之於父子也，義之於君臣也，禮之於賓主也，知

之於賢者也，聖人之於天道也，命也，有性焉，君子不謂命也(2)。」（盡心下）

2.孟子曰：「盡其心者，知其性也。知其性，則知天矣。存其心，養其性，所以事天也。殀壽不貳(3)，修身以俟(4)之，所以立命也。」（盡心上）

3.孟子曰：「求則得之，舍則失之，是求有益於得也，求在我者(5)也。求之有道，得之有命，是求無益於得也，求在外者(6)也。」（盡心上）

【注釋】

(1)口……性也—五者之欲，都是人的物質之性，能否如其願，尚須看外在條件（「命」）是否配合，所以君子不說那是人的本性。（心性之性，只要去擴充，一定能發揮出來）。

(2)仁……命也—仁、義、禮、智、天道，固然由於某些外在的因素而形成，事實上卻導源於人的善性，只要有心，一定可以做到，所以君子不說那是命。

(3)殀壽不貳—對於生命的長短，在所不計。

(4)修身以俟之—只管修身，不管殀壽。俟，音ㄙˋ，等待，指的是順其自然，不刻意去逐求。

(5)在我者—謂仁、義、禮、智，本性之所有者。

(6)在外者—謂富、貴、利、達等身外之物。

【討論】

一、請說明孟子對「性」「命」的看法？
二、孟子認爲該如何面對「命」？

二一　孟子㈣王道、仁政、民本

【題解】

談到治道，孟子主張推行王道。他認爲要建立一個富強安樂的大國，一定要以德服人，施行仁政。他認爲君臣關係是相對的，君子愛護臣下，臣下必能忠於君上；君上苛待臣下，臣下必然背逆君上。

另外，他認爲政權必須建立在人民的支持上，因此他提倡「民貴君輕」的「民本」觀念。天子雖尊貴，社稷雖爲神，但仍須以人民爲本，處處爲人民著想才可以。這種「民本」思想，並未涉及「權力」的問題，與現在的「民主」是不同的。

【本文】

1.孟子曰：「以力假仁⑴者霸，霸必有大國；以德行仁者王，王不待⑵大——湯以七十里，文王以百里。以力服人者，非心服也，力不贍⑶也；以德服人者，中心悅而誠服也，如七十子之服孔子也。詩云『自西自東，自南自北，無思⑷不服。』此之謂也。」

（公孫丑上）

2.「桀、紂之失天下也，失其民也。失其民者，失其心也。得天下有道⑸：得其民，斯得天下矣；得其民有道，得其心，斯得民矣；得其心有道：所欲，與之聚之⑹；所惡，勿施，爾也⑺。」

「民之歸仁也，猶水之就下，獸之走壙⑻也。故爲淵敺⑼魚者，獺⑽也；爲叢⑾敺爵⑿者，鸇⒀也；爲湯武敺民者，桀與紂也。今天下之君有好仁者，則諸侯皆爲之敺矣，雖欲無王，不可得已。」（離婁篇上）

3.孟子告齊宣王⒁曰：「君之視臣如手足，則臣視君如腹心⒂；君之視臣如犬馬，則臣視君如國人⒃；君之視臣如土芥⒄，則臣視君如寇讎⒅。」（離婁篇下）

4.孟子曰：「有天爵⒆者，有人爵⒇者。仁義忠信，樂善不倦，此天爵也；公卿大夫，此人爵也。古之人，修其天爵，而人爵從之。今之人修其天爵，以要(21)人爵；既得人爵，而棄其天爵，則惑之甚者也，終亦必亡(22)而已矣。」（告子篇上）

5.孟子曰：「仁言(23)不如仁聲(24)之入人深也；善政，不如善教之得民(25)也。善政，

民畏之；善教，民愛之。善政，得民財；善教，得民心。」（盡心上）

6.孟子曰：「民爲貴，社稷(26)次之，君爲輕。是故，得乎丘民(27)而爲天子，得乎天子爲諸侯，得乎諸侯爲大夫。諸侯危社稷，則變置(28)。犧牲既成(29)，粢盛既絜(30)，祭祀以時，然而旱乾水溢，則變置社稷。」（盡心下）

【注釋】

(1)以力假仁—假借仁義之名，而實行武力統治。
(2)待—等待。
(3)贍—足。
(4)思—語助詞，無義。無思不服，即「無不服」。
(5)道—方法。
(6)所欲，與之聚之—與，爲。意謂老百姓所需求的，就爲老百姓備聚起來。
(7)爾—而已。
(8)壙—壙野。
(9)敺—音ㄑㄩ，古「驅」字。
(10)獺—音ㄊㄚˋ。水獺，形如鼬，穴居河濱，捕魚而食。
(11)叢—樹林。

(12)爵－與「雀」同。
(13)鸇－音ㄓㄢ，鷹類，性凶猛，好擊食鳩鴿燕雀。
(14)齊宣王－姓田，名辟疆。
(15)手足、腹心－比喻親愛之至。
(16)國人－猶言路人，比喻疏遠。
(17)土芥－芥，草。視老百姓如土如草，比喻不甚愛惜。
(18)寇讎－仇敵。
(19)天爵－得自天之尊貴，指仁義忠信之善道。
(20)人爵－得自人之尊貴，指公卿大夫之官秩。
(21)要－求。
(22)亡－失去。
(23)仁言－提倡仁德之言。
(24)仁聲－指禮樂教化。
(25)得民－就是下文「得民心」的意思。
(26)社稷－社爲土神，稷爲穀神。民以食爲天，國以民爲本，建國首在爲民立土神穀神，故即以社稷爲國家之代稱。
(27)丘民－丘，今作邱，衆多。邱民指鄉民、國民。
(28)變置－變換舊君，安置新君。
(29)犧牲既成－犧牲，牛羊豕。成，肥碩。

(30)粢盛既絜—粢盛，音ㄗ ㄔㄥˊ，供奉祭祀的穀類。絜，音ㄐㄧㄝˊ，精潔。

【討論】

一、孟子理想中的君臣關係爲何？
二、「民本思想」與「民主思想」是否相同？

一二　古體詩選

說明：古體詩，簡稱古詩，是和近體詩相對而言。近體詩如律詩、絕句等，字數句數都有限制。古體詩形式較爲自由，或用平聲韻，或用仄聲韻；或轉韻，或不轉韻，也沒有定則；至於在字數方面，七言詩中也常夾雜長短句。可分爲五言古詩、七言古詩、三言詩、四言詩及六言詩等。

本課所選前二首，出自古詩十九首，作者是誰，不可確定，暫置存疑；其餘各篇，均冠上作者姓名。

(一)冉冉孤生竹

佚名

冉冉孤生竹，結根泰山阿；與君爲新婚，兔絲附女蘿。兔絲生有時，夫婦會有宜；千里遠結婚，悠悠隔山陂。思君令人老，軒車來何遲！傷彼蕙蘭花，含英揚光輝，過時而不采，將隨秋草萎。君亮執高節，賤妾亦何爲！

(二)迴車駕言邁

佚名

迴車駕言邁，悠悠涉長道。四顧何茫茫，東風搖百草。所遇無故物，焉得不速老！盛衰各有時，立身苦不早，人生非金石，豈能長壽考？奄忽隨物化，榮名以爲寶。

㈢七哀　曹　植

明月照高樓，流光正徘徊。上有愁思婦，悲歎有餘哀。借問歎者誰？自云客子妻。君行踰十年，孤妾常獨棲。君若清路塵，妾若濁水泥。浮沈各異勢，會合何時諧。願爲西南風，長逝入君懷。君懷良不開，賤妾當何依！

㈣讀山海經　十三首之一　陶　潛

孟夏草木長，遶屋樹扶疎。衆鳥欣有託，吾亦愛吾廬。既耕亦已種，時還讀我書。窮巷隔深轍，頗迴故人車。歡然酌春酒，摘我園中疏。微雨從東來，好風與之俱。汎覽周王傳，流觀山海圖。俯仰終宇宙，不樂復何如？

㈤夜歸鹿門山歌　孟浩然

山寺鳴鐘晝已昏，漁梁渡頭爭渡喧；人隨沙岸向江村，余亦乘舟歸鹿門。鹿門月照開煙樹，忽到龐公棲隱處；岸扉松逕長寂寥，唯有幽人自來去。

㈥月下獨酌　李　白

花間一壺酒，獨酌無相親；舉杯邀明月，對影成三人。月既不解飲，影徒隨我身；暫伴月將影，行樂須及春！我歌月徘徊，我舞影零亂；醒時同交歡，醉後各分散。永結無情遊，相期邈雲漢！

㈦漁翁　柳宗元

漁翁夜傍西巖宿，曉汲清湘燃楚竹。煙銷日出不見人，欸乃一聲山水綠。迴看天際下中流，巖上無心雲相逐。

㈠冉冉孤生竹

佚　名

【作者】

古詩十九首，有人認爲部分作品可以指出作者姓名，其實都缺乏明確的證據，所以不足採信。從文學發展的角度來看，古詩十九首產生的時代，應在東漢末期，建安（漢獻帝年號）以前，這是五言古詩成熟期的代表作。

東漢晚期，天下日亂，內有外戚和宦官之爭，外有黃巾賊之禍，加上連年的戰爭、饑荒，瘟疫蔓延，使百姓妻離子散，家破人亡；同時一般人的思想信仰也起了重大轉變。古詩十九首，就是這個動亂時代裡人民思想情感的紀錄。

【本文】

冉冉(1)孤生竹，結根泰山阿(2)；與君爲新婚，兔絲附女蘿(3)。兔絲生有時，夫婦會有宜(4)；千里遠結婚，悠悠隔山陂(5)。思君令人老，軒車(6)來何遲！傷彼蕙蘭花，含英(7)揚光輝，過時而不采，將隨秋草萎。君亮執高節(8)，賤妾亦何爲！

【注釋】

(1)冉冉—柔弱下垂的樣子。

(2)結根句—阿，曲處。泰山阿，即泰山裡面。這句是說：生根於泰山之上。比喻希望嫁一個終身可以依靠的丈夫。

(3)兔絲句—兔絲，爲草本寄生植物。女蘿，爲菌類植物，寄生在深山的樹幹上。這裡以「兔絲」自比，以「女蘿」比丈夫，兔絲附在女蘿之上，都不能自立，有所託非人的意思。

(4)兔絲……宜—草木有茂盛就有枯萎，人生有少壯就有衰老。夫婦相會也該有適當的時機才是，奈何因他故而不得會面啊！

(5)千里……陂—回想過去，離家遠嫁；而今婚後遠別，也已經很久了。悠悠，遠也。陂，音ㄆㄛ，山坡也。

(6)軒車—是有屛蔽的車，古代大夫以上乘「軒車」。這位女子的丈夫出遠門，當然是爲了獵取功名富貴。但軒車只是她的想像，不一定是實指。

(7)含英—英，花瓣。含英，指即將盛開的花朵。比喻人正值青春時期。

(8)君亮句—亮，同諒，信也。高節，高尙的節操，或指堅貞不渝的愛情。

【賞析】

這首詩寫的是新婚的離別，從「悠悠隔山陂」，可知是遠離；從「軒車來何遲」，可知是久別。對這位少婦來說，她除了殷切地盼望夫君早日歸來外，也表現出一種顧影自憐的心情，因爲青春是難以久駐的啊！

本詩抓住這個心理特徵，運用比喻的方式，透過女性的共同心理，將那個時代社會化爲很具象的縮影。起首四句，說明夫婦間的關係，以「孤生竹」自比，以「泰山阿」比丈夫，以「兔絲」自比，以「女蘿」比丈夫，暗示著理想和現實的矛盾。而「結」「附」二字，正說明了當時社會上，女人是依附在男人之下的。其次，「兔絲生有時」的「時」，和「過時而不采」的「時」，聯繫起來看，就是把夫婦關係歸結於自己的憂傷，然後展開底下的懷念。七、八兩句是敘述別離的整個過程。九、十兩句，正面申訴相思之苦。接著又使用另一套比喻，「含英揚光輝」，是花的顏色，也是人的丰采，是花的「時」，也是人的「時」；「過時而不采」指「軒車來何遲」，「將隨秋草萎」即「思君令人老」的直覺。這比喻形象鮮明，在幽思憂愁中散發出青春的氣息，也豐富了詩歌的情感內容。結尾二句，深信丈夫守節，自己惟有耐心等待而已。又把古代婦女柔順的一面表現出來。

(二)迴車駕言邁

佚名

【本文】

迴車駕言邁(9)，悠悠涉長道。四顧何茫茫，東風搖百草。所遇無故物(10)，焉得不速老！盛衰各有時，立身苦不早(11)，人生非金石，豈能長壽考(12)？奄忽隨物化(13)，榮名(14)以爲寶。

【注釋】

(9)迴車句—迴車，轉過車來。駕，驅。言，語助詞。邁，遠行。

(10)故物—指舊有一切之物，也包括「故人」。

(11)盛衰二句—各有時，就好像「各有其時」的意思，是兼指百草和人生而說的。「一歲一枯榮」是草的「時」；「生年不滿百」是人的「時」。立身，即樹立一生的事業基礎，而涵義是廣泛的。

(12)人生二句—金，言其堅；石，言其固。上句說生命的脆弱。考，老也。下句說即使活得再老，也有盡期。

(13)奄忽句—奄忽，忽然。物化，指死亡。

⒁榮名——指榮祿和聲名。

【賞析】

亂世裡，現實生活常爲大家所關切；而對榮祿和聲名的嚮往，更是失意之士最熱切的念頭；尤其是他們意識到盛年已過，衰老和死亡的陰影罩住整個心靈，這種嚮往的心情當格外迫切。這就是本篇的主題。

作者受現實生活壓抑的悲哀，在不覺之中灌注到一切的客觀景物，將它染上了一層淒涼黯淡的色彩。歷來以寫景代替抒情的作品，大都以秋冬的景物寫出悲愁，因爲蕭瑟肅殺之氣，原和愁人善感的心靈相近，也容易融合在一起。而本篇卻以明媚的春天爲背景，但在詩人筆下，這春天仍然給人冷漠悲涼的感覺。

首句透露客遊失意之感；次句具體地抒寫前程茫茫，無所歸宿的悲哀；三、四兩句是途中所見的景物，本爲欣欣向榮的百草，下一「搖」字，就把春天的亮麗變成秋冬的蕭索。五、六句是從寫景到抒情的紐帶，「故物」指去年秋冬的景物，和前句的「東風」作對比，說出青春消逝快速的人生普遍的概念。所以底下人生如寄，苦不能及早立身的感慨特別濃烈。

【討論】

古詩十九首的時代社會背景是什麼？從本課選出的二篇中，請你說出那個時代一般人的心聲。

(三)七哀　曹植

【作者】

曹植，字子建，是曹操的三子，與曹丕同母生。

漢獻帝初平三年（西元一九二年），出生。十餘歲，誦讀詩、論及辭賦，善屬文。當銅雀臺新建完成時，曹操率領兒子們登臺，並命他們作賦。植援筆立成，內容也可觀，受到父親重視。

建安十六年（西元二一一年），二十歲，封平原侯。

建安十九年（西元二一四年），二十三歲，徙封臨淄侯。這年曹操征孫權，命植留守鄴城。植私闖司馬門，違犯曹操的告誡，逐漸失寵。

延康元年（西元二二〇年），二十九歲，曹丕代漢，國號魏，改元黃初，是為文帝。植與諸侯並就國。

魏文帝黃初二年（西元二二一年），三十歲，因酒醉得罪文帝使者，有司請治罪，賴太后保全，貶為安鄉侯。不久改封鄄城。次年，進封鄄城王。四年，改封雍丘。

魏明帝太和元年（西元二二七年），三十六歲，徙浚儀。三年，徙封東阿。

太和六年（西元二三二年），四十一歲，改封陳。植上表求明帝單獨召見，希望貢獻安邦定國之策，終不能達成願望，鬱抑而死。死後諡號「思」，世稱陳思王。

曹植是建安時期最重要的詩人。五言詩在東漢後期雖已成熟，但到了曹植筆下，又有長足的進展。一爲題材的擴大；次爲字句的美化及對偶句法的運用。著有曹子建集。

【題解】

七哀，有人解爲痛而哀、義而哀、感而哀、耳聞而哀、目見而哀、口嘆而哀、鼻酸而哀，只是一事而七情具。這是望文生義的說法，並不可信。比較合理的說法是：情有七，而偏主於哀，因遭遇特別艱難窮困的緣故。所以叫「七哀」。

【本文】

明月照高樓，流光正徘徊(15)。上有愁思婦，悲歎有餘哀。借問歎者誰？自云客子妻(16)。君行踰十年，孤妾常獨棲。君若清路塵，妾若濁水泥(17)。浮沈各異勢，會合何時諧(18)。願爲西南風，長逝入君懷。君懷良不開(19)，賤妾當何依！

【注釋】

(15)流光句——流光，指光陰消逝得如流水那麼快。徘徊，來回地走，指下句的愁思婦。本句和李陵逸詩「明月照高樓，想見餘光輝」句相似，而意境全不相同。

⒃客子妻—一作「宕子妻」。

⒄君若二句—清路塵和濁水泥本為一物，浮為塵，沈為泥，所以下句有浮沈異勢的說法。這兩句是比喻兄弟骨肉一體，而榮枯不同。

⒅諧—和也。指兄弟和睦相處。

⒆君懷句—良，實也。指兄長曹丕不能捐棄成見，而容納下他。

【賞析】

本篇寫兄弟浮沈異勢，不能相親的悲哀，作於文帝時。首句和李陵詩完全一樣；次句改寫前人詩，而顯得栩栩如生。不只是月光在徘徊，作者也徘徊著，不只是人在徘徊，內心也徘徊著。所以藉高樓上凝愁的少婦，道出其哀怨。這愁思婦正是曹植的化身。他與文帝本是同母兄弟，因政治上的因素，不能坦誠相待，故可哀慟。這人情的冷暖，對子建來說，簡直比死還痛苦。他以孤妾自喻，良人比皇兄。良人遠行，已踰十載，其百無聊賴，落寞獨棲之情，當在意料之中。在明月當空，萬籟俱寂的當兒，發出長歎，劃破靜靜的天空，是何等淒清刺耳啊！這時低頭冥想，浮沈異勢，又怎能破鏡重圓呢？最後冀望化為一陣風，投入丈夫懷中，但丈夫並不肯接納，所以哀怨更深了。以此比喻骨肉兄弟，本當一體，奈何現實處境，榮枯不同，豈不是「本是同根生，相煎何太急」嗎？

㈣讀山海經⒇十三首之一

陶　潛

【作者】

陶潛，字淵明，自號五柳先生，世稱靖節先生，晉潯陽柴桑（今江西省九江縣）栗里人。約生於晉咸安二年，卒於宋文帝元嘉四年（西元三七二—四二七年）。其曾祖陶侃爲東晉名將，祖父及父親曾做過太守，外祖孟嘉做過征西大將軍，都是胸懷廣闊品格高尚的人物。他受了這種環境影響，而有了卓然獨立的人生觀。曾做過參軍，及二個多月的彭澤縣令，因不滿督察人的官架而辭職，曰：「吾不能爲五斗米折腰，拳拳事鄉里小人！」從此過著農民生活。

陶潛是魏晉思想的淨化者，其哲學文藝及人生觀，都是浪漫的自然主義的最高表現。其思想兼有儒道佛三家的精華而去惡劣的習氣：有律己嚴正肯負責任的儒家精神，而不爲虛僞的禮法與破碎的經文所陷；有老莊清淨逍遙的境界，而不與頹廢荒唐的清談名士同流；有佛家的空觀與慈愛，而不沾染下流的迷信色彩。其作品，在作風上是承受魏晉一派的浪漫主義，但在表現上，卻是帶著革命的態度：洗淨了駢詞麗句的惡習而返於自然平淡；丟棄滿紙仙人高士的歌頌眷戀，而入於山水田園的寄託、以及脫去滿篇談玄說理的歌訣偈語，而敘述日常的瑣事人情。

陶淵明是有名的田園詩人，其作品又可從他三十四歲辭去彭澤令那年爲界，分作前後兩期。前期對當代政治社會，雖已感到厭惡，但其人生態度尚未篤定，在其詩裡，還時時流露出憤恨和熱情，飲酒的歌詠。

仍極少見。同時，在經曲阿、阻風於規林等詩，也表現出爲著衣食，不得不到社會上奔波的精神痛苦，而有了田園山水之想。後期心境平靜了，作品的藝術價值也最高。「問君何能爾？心遠地自偏。」（飲酒）是後期心境的告白。「居止次城邑，逍遙自閑止。坐止高蔭下，步止蓽門裡。好味止園葵，大歡止稚子。」（止酒）是後期生活的寫照。由苦悶的世界，進入逍遙自適的世界，於是美麗的自然，酒與詩文，成爲他靈魂的寄託，歸園田居、飲酒等詩，不但提高了魏晉浪漫文學的地位，也建立了田園文學的典型。

【本文】

孟夏(21)草木長，遶屋樹扶疎(22)。衆鳥欣有託(23)，吾亦愛吾廬。既耕亦已種，時還讀我書。窮巷隔深轍(24)，頗迴故人車。歡然酌春酒，摘我園中蔬。微雨從東來，好風與之俱。汎覽周王傳(25)，流觀山海圖。俯仰終宇宙，不樂復何如？

【注釋】

(20)山海經——書名，共有十八篇，敘述山海而參以神怪異說，作者不詳。
(21)孟夏——夏季的第一個月，就是舊曆的四月。
(22)扶疎——枝葉繁盛四布的樣子。疎，同疏。
(23)欣有託——高興有窩巢可以棲身。
(24)窮巷句——窮僻的巷道遠離車馬的喧鬧聲。轍，指軌跡。

(25)周王傳——書名，指穆天子傳。是一本記載古代神怪故事的書。

【賞析】

本篇反映出作者淳眞的個性，也流露出對於大自然的認識、親近與融合無間。開頭兩句，初夏的氣氛已流溢而出。炎夏本不如春秋佳日易於引起詩人的靈感，但酷陽下，綠樹濃蔭，也覺清涼。三、四兩句，作者以自己棲身之所和綠蔭枝頭的鳥巢相比，這「欣」「愛」二字下得極好。詩句簡樸，詩意眞淳，靜觀自得，物我交融，足以顯示作者包容萬象，融入自然的襟懷。五、六兩句，說在謀生餬口的辛勞之餘，純爲興趣而讀書，實在是精神上的一大享受。七、八兩句，顯示作者現實生活的困窘，而老友光臨，更屬不易。九、十兩句，說明主人傾其所有熱情招待的情形。十一、十二兩句，「好風」「微雨」及時來臨，更給詩人的心境帶來喜悅，有如錦上添花一般。接著兩句，作者和朋友促膝清談之餘，又細述他喜愛的清閒讀物，絲毫不因未讀聖賢書而自責，可見其灑脫的個性。

從上面的敘述，可知作者並不因爲物質生活的缺乏，而喪失其人生樂趣。全篇用了「吾廬」「我書」「我園」三個所有格的名詞，足見他對眼前擁有的一切都很珍視，而且也忠於自己，這就是他能夠得到精神滿足的理由。所以末二句，說俯仰所見，盡是人間賞心悅目的事情啊！

(五)夜歸鹿門山(26)歌

孟浩然

【作者】

孟浩然，湖北襄陽人。生於唐武后永昌元年（西元六八九年），死於玄宗開元二十八年（西元七四〇年）。他和王維齊名，爲自然詩人的兩大代表。他四十歲前，受當時隱逸風氣的影響，在鹿門山居住相當長的一段時間。四十歲赴京參加進士考試，未能考取，因作歲暮歸南山詩，有「北闕休上書，南山歸敝廬，不才明主棄，多病故人疏。」的詩句，足見他雖身在草野，卻心懷朝廷。他著有孟浩然集。

【本文】

山寺鳴鐘晝已昏，漁梁(27)渡頭爭渡喧；人隨沙岸向江村，余亦乘舟歸鹿門。鹿門月照開煙樹，忽到龐公(28)棲隱處；巖扉松逕(29)長寂寥，唯有幽人(30)自來去。

【注釋】

(26)鹿門山—在襄陽縣東南三十里，是孟浩然隱居的地方。

(27)漁梁—渡口名。因爲渡頭在漁梁洲，所以稱漁梁渡頭。

(28)龐公—即龐德公。東漢時襄陽人。荊州刺史劉表曾幾次延請他，絡不肯屈就；後來帶著妻子登鹿門山，採藥不歸。

(29)巖扉松逕—巖壁當門，松林夾道。

(30)幽人—隱士。這裡是孟浩然自稱。

【賞析】

這首詩是寫夜歸時一路所見的情景，眞切而自然。

鹿門山，本是個僻靜地方；首句先說鐘鳴聲，次句又說爭渡聲，好一幅熱鬧的畫面。接著才漸漸寫到冷清上去。夜歸時，先說他人，再提到自己；歸鹿門時，先寫古代的隱士，再說到現在的幽人。寥寥數語，意思卻交代得很明白。本詩前半虛寫，是歸時所見。後半實寫，是歸後興感。

㈥月下獨酌

李白

【作者】

李白，字太白，號青蓮，先世隴西成紀（今甘肅天水附近）人，家居四川綿州（今四川綿陽縣）。

唐武后大足元年（西元七〇一年），李白生。

玄宗開元八年（西元七二〇年），二十歲，益州長史蘇頲認爲白天資特妙，如稍微努力，就可媲美司馬相如。

開元十四年（西元七二六年），二十六歲，離開四川，仗劍東遊。到過金陵、揚州、雲夢、安陸、山東、太原、浙江各處。

開元十六年（西元七二八年），二十八歲，在雲夢娶故相許圉師的孫女爲妻。此後十年左右，和孔巢父、韓準、裴政、張叔明、陶沔隱居在徂徠山竹溪，時號爲「竹溪六逸」。

玄宗天寶元年（西元七四二年），四十二歲，遊會稽山，和道士吳筠結交。剛好筠奉召赴京，就推薦白給玄宗，因此他也入長安。那時賀知章讀畢他的蜀道難，嘆爲「天上謫仙」。玄宗很賞識他的詩才，有詔供奉翰林。

天寶三年（西元七四四年），四十四歲，有一次玄宗和楊貴妃在沉香亭飲酒，正好牡丹盛開，就召李白，要他依清平調作歌詞，他毫不含糊地將當時情景一一融入詩句，但因詩中引用趙飛燕的故事，被他的仇家高力士發現，而進讒言觸怒了貴妃。使他的政治前途受阻，而離開長安，再度浪跡天涯。

天寶十五年（西元七五六年），五十六歲，安祿山攻陷長安。白正隱居廬山。當永王大軍東下，準備在江左自立時，白前往宣州謁見，就在永王幕下任事。

肅宗乾元元年（西元七五八年），五十八歲，永王事敗，白長期流放夜郎。次年，遇赦得釋，又回到潯陽。

肅宗寶應元年（西元七六二年），六十二歲，投靠他的族叔當塗縣令李陽冰。大約這年十一月，他因爲飲酒過度，得病而死。

李白性情倜儻，極有才華，在詩歌方面，表現飄逸豪放的風格，有「詩仙」的雅號。著有李太白集。

【本文】

花間一壺酒，獨酌無相親；舉杯邀明月，對影成三人(31)。月既不解飲，影徒隨我身；
暫伴月將影，行樂須及春(32)！我歌月徘徊(33)，我舞影零亂(34)；醒時同交歡，醉後各分散。
永結無情遊，相期邈雲漢(35)！

【注釋】

(31)三人──獨酌的我，天上的明月，和月下自身的影子。

⑶行樂句—人生原須趁這青春行樂啊！
⒀月徘徊—月兒留連不進，好似聽懂歌聲一樣。
⒁影零亂—影子也隨著舞姿婆娑搖動。零亂，或寫成凌亂。
⒂相期句—邈，高遠。雲漢，天河。這句是說：把彼此的期約寄附在高渺的天河之上吧！

【賞析】

太白天才高妙，物我之間，早已融成一體，並無分際。這首詩就是他曠達胸襟的表現。有花有月，原已脫去凡俗；有花有月又有酒，眞是人生樂事。但花間月下，獨酌無親，未免悶極無聊！作者卻在獨酌時，招呼明月和影子來作伴，又從「花」字想出「春」字，從「酌」字想出「歌舞」，烘托得這般熱鬧。人生有如鏡花水月，凡事又何必太過於認眞呢？

本篇把「我」「月」「影」三字交互迴環地描寫，這是連珠體的作法。首四句爲一段，依序出現月和影子，也點出題目。「月既不解飲」下四句是第二段，從月和影子發議論，又以「飲」字照應前段的「酌」字，逼出「行樂須及春」的意思來。末六句爲第三段，從「行樂」想到「歌舞」，從「獨酌」想到醒和醉的情形；結句又以「雲漢」呼應詩題「月下」二字。這交互錯綜的手法，若非曠達如太白，眞不易辦到。

(七)漁翁

柳宗元

【作者】

柳宗元，字子厚，唐河東解（今山西解縣）人。唐代宗大曆八年（西元七七三年），生於長安。父鎮，曾佐郭子儀朔方幕府。德宗貞元九年（西元七九三年），二十一歲，登進士第。

貞元十二年（西元七九六年），二十四歲，考取博學宏辭科，授校書郎，調藍田尉。

貞元十九年（西元八〇三年），三十一歲，召回京任監察御史。時翰林學士王叔文當政，頗賞識他的才華，遂擢升爲禮部員外郎。

順宗永貞九年（西元八〇五年），三十三歲，八月，王叔文被免職治罪，宗元也遭牽連，貶爲邵州刺史。十一月，又降貶永州（今湖南零陵等七縣）司馬。既遭竄逐，地又荒癘，閒居無事，潛心文學，有名的「永州八記」即此時期所作。

憲宗元和九年（西元八一四年），四十二歲，召回長安。

元和十年（西元八一五年），四十三歲，三月，調任柳州（今廣西柳城縣）刺史，有善政，爲文益進。世號柳柳州。

元和十四年（西元八一九年），十一月八日死於柳州，時四十七歲。當地百姓感其德政，於羅池立廟祀之，韓愈為作碑文。

子厚早年聰明絕倫，為文卓偉精緻，一時輩行推仰。又得志很早，儁傑廉悍，意氣風發，不自貴重顧藉，所以屢致廢退。其古文雄深雅健，與韓愈齊名。但愈文純以儒家為宗，常以明道自任；而宗元則取法較廣，不盡為儒家所囿。子厚之文，除遊記工緻外，又善作寓言，警異湛深，發人省思。其詩亦高古沈鬱。臨死時託劉禹錫編訂之作品四十五卷，題為柳河東集，又有龍城錄，並傳於世。

【本文】

漁翁夜傍西巖宿，曉汲清湘燃楚竹(36)。煙銷日出不見人，欸乃(37)一聲山水綠。迴看天際下中流，巖上無心雲相逐。

【注釋】

(36)曉汲句—清晨起來，汲取清澈的湘江水，燒著楚地的竹子來作早炊。

(37)欸乃—船櫓聲。欸，音ㄞˇ。

【賞析】

這首詩題目雖是漁翁，但重點卻在寫景，而富奇趣，值得品味。

首句次句只是敘述。「夜宿西巖」可能因昨晚忙著捕魚，過度勞累，或夜間水路難行所致；「汲清湘」「燃楚竹」，只是就地取材，塡飽肚皮，好繼續趕路。三、四兩句，寫炊煙散盡，晨光乍現，四下空寂無人；忽然傳來搖櫓一聲，但見山光水色一片翠綠。這突現眼簾的鮮麗色彩，跳動的生命力，正是長久和自然爲伍的作者親自體驗得到的趣味。至於後面兩句，蘇東坡早說過「雖不必亦可」的話，而王士禎也認爲是畫蛇添足了。

【附錄】

明月何皎皎　佚名

明月何皎皎！照我羅床幃。憂愁不能寐，攬衣起徘徊。客行雖云樂，不如早旋歸。出戶獨彷徨，愁思當告誰？引領還入房，淚下霑裳衣。

（古詩十九首）

春思　李白

燕草如碧絲，秦桑低綠枝；當君懷歸日，是妾斷腸時！春風不相識，何事入羅幃？

一三　樂府詩選

說明：樂府詩是一種古代合樂的歌辭，就廣義的說，可以上推至詩經和楚辭中的九歌；但樂府這個名稱，是在漢代才有的。漢武帝時，正式創立了樂府官署，一面製作宗廟的樂章；另一方面收集了許多民間的歌辭入樂，於是樂府詩便在文學史上產生了影響力。

「樂府」其實就是平民文學的徵集所、保存館。這個制度有幾個影響：㈠民間歌曲因此得了寫定的機會。㈡民間的文學因此有機會同文人接觸，文人從此不能不受民歌的影響。㈢文人感覺民歌的可愛，有時爲了協律的關係而把民歌更改添減；有時也模倣民歌去創作。（詳見胡適白話文學史）所以現在稱爲樂府詩的，有宗廟的樂章；有民間的樂歌；有文人模倣民歌作的樂歌；而後來文人模倣古樂府作的不能入樂的詩歌，也叫做「樂府」或「新樂府」。

本課所選的樂府詩，除了宗廟的樂章之外，各類都有。限於篇幅，把吳歌、西曲放在附錄後簡介。

㈠燕歌行　二首之一　　曹　丕

秋風蕭瑟天氣涼，草木搖落露爲霜。群燕辭歸鵠南翔，念君客遊多思腸。慊慊思歸戀故鄉，君何淹留寄他方？賤妾煢煢守空房，憂來思君不敢忘，不覺淚下霑衣裳。援琴鳴絃發清商，短歌微吟不能長。明月皎皎照我牀，星漢西流夜未央。牽牛織女遙相望，爾獨何辜限河梁。

㈡敕勒歌

敕勒川，陰山下。天似穹廬，籠蓋四野。天蒼蒼，野茫茫，風吹草低見牛羊。

㈢李波小妹歌

李波小妹字雍容，褰裾逐馬似卷蓬。左射右射必疊雙。婦女尚如此，男子安可逢！

㈣將進酒　李白

君不見？──黃河之水天上來，奔流到海不復回。君不見？──高堂明鏡悲白髮，朝如青絲暮成雪。人生得意須盡歡，莫使金樽空對月。天生我材必有用，千金散盡還復來。烹羊宰牛且為樂，會須一飲三百杯。岑夫子！丹丘生！「將進酒，君莫停。與君歌一曲，請君為我傾耳聽：鐘鼓饌玉不足貴，但願長醉不願醒。古來聖賢皆寂寞，惟有飲者留其名。陳王昔時宴平樂，斗酒十千恣歡謔。主人何為言少錢？徑須沽取對君酌。五花馬，千金裘。呼兒將出換美酒，與爾同銷萬古愁。」

㈤哀江頭　杜甫

少陵野老吞聲哭，春日潛行曲江曲。江頭宮殿鎖千門，細柳新蒲為誰綠？憶昔霓旌下南苑。苑中景物生顏色。昭陽殿裡第一人，同輦隨君侍君側。輦前才人帶弓箭，白馬嚼齧黃金勒。翻身向天仰射雲，一箭正墜雙飛翼。明眸皓齒今何在？血污遊魂歸不得！清渭東流劍閣深，去住彼此無消息。人生有情淚霑臆，江草江花豈終極？黃昏胡騎塵滿城，欲往城南望城北。

㈥塞下曲　王昌齡

飲馬渡秋水，水寒風似刀。平沙日未沒，黯黯見臨洮。昔日長城戰，咸言意氣高；黃塵足今古，白骨亂蓬蒿。

(一)燕歌行　二首之一

曹丕

【作者】

曹丕，字子桓，沛國譙（今安徽亳縣）人，魏武帝曹操的長子，後篡漢自立爲魏文帝。

漢靈帝中平四年（西元一八七年），曹丕生。

獻帝建安十六年（西元二一一年），二十五歲，受封五官中郎將及副丞相。

　建安二十二年（西元二一七年），三十一歲，立爲魏太子。

　建安二十五年（西元二二〇年），三十四歲，曹操卒，嗣爲丞相。十月篡位稱帝，是爲魏文帝。

魏文帝黃初七年（西元二二六年），四十歲，曹丕卒。

曹丕崇尚曠達，仰慕漢文帝的爲人，常讚美文帝是寬仁玄默的國君，於是自己也學他的黃老之術來治國。

曹丕從小就喜好文學，是建安時期文學的領導者。說理文章精深肯切，詩清麗婉約，以情韻勝。他在詩歌中最大的貢獻是七言詩的創作，他的「燕歌行」是我國文學史上第一首完整的七言詩。

曹丕著有「典論」一書，裡面包含他對政治、學術、修養各方面的議論，現在僅存「論文」一篇，主張文章要注重氣勢與個性，並留意文字的修飾，是我國文學批評史上的重要文獻。著有詩賦百餘篇，今有魏文帝集輯本二卷傳於世。

【題解】

燕歌行，樂府平調曲名。樂府詩題目上冠以地名，都是以各地聲音爲主，到後代聲音失傳，作者便用來詠各地的風土。燕是北方邊地，征戍不絕，所以燕歌行多半寫離別。本篇寫女子懷念在遠方作客的丈夫，是言情的名作。

【本文】

秋風蕭瑟天氣涼，草木搖落(1)露爲霜。群燕辭歸鵠(2)南翔，念君客遊多思腸。慊慊(3)思歸戀故鄉，君何淹留(4)寄他方？賤妾煢煢(5)守空房，憂來思君不敢忘，不覺淚下霑衣裳。援琴鳴絃發清商(6)，短歌微吟不能長。明月皎皎照我牀，星漢西流夜未央(7)。牽牛織女遙相望，爾獨何辜限河梁(8)。

【注釋】

(1)搖落—凋零。

(2)鵠—一名天鵝或鴻鵠，形狀像雁，而比雁大。音ㄏㄨˊ。

(3)慊慊—空虛之感。慊，音ㄑ一ㄢˋ。
(4)淹留—久留。
(5)煢煢—孤單。煢，音ㄑㄩㄥˊ。
(6)清商—曲調名。音節很短促，所以下句說「短歌微吟不能長」。
(7)星漢句—夜未央，是說夜已深而未盡的時候。古人用觀察星象的方法測定時間，這詩所描的景色是初秋的夜間，牛、女二星在銀河兩旁，初秋傍晚時正見於天頂，這時銀河該西南指，現在說「星漢西流」，就是銀河轉向西，夜自然已很深了。
(8)何辜……梁—何辜，猶何故。河梁，天河上的橋。傳說牽牛和織女隔著天河，祇能每年七月七日見面，烏鵲爲他們搭橋。

【賞析】

本篇寫女子懷念遠遊他鄉的夫君，藉時序、外物引發感觸，而筆觸細緻婉約，能移人情感。

首句次句，先點出秋天蕭索的氣氛。接著以群燕鴻鵠南飛，喚出懷念的情緒，這是就女子方面說；至於遠在異鄉的丈夫，難道不想念溫暖的家室和嬌妻，而頓覺空虛嗎？那又爲何久留不歸呢？眞叫人納悶。接著又把獨守空房的落寞之情提出，而以淚濕衣裳作結。在百無聊賴之中，撥弄著琴絃，彈出音節短促的清商曲，但是心緒不寧，所以解不了愁。這時，皎潔的月光映照著牀前，夜色已深，但見遙遠的天際，牽牛、織女各在一方，隔著天河不得相會，就好像人間的生離，那惆悵自然不在話下。

這是現存形式最完整的最早的七言詩，向來極受重視。內容雖寫夫婦離別這最平常的事情，但不落俗套，所以感人至深。

(二)敕勒歌

【題解】

北史記載：東魏時，高歡攻周玉璧，不克，恚憤成疾，時西魏訛言歡中弩，歡乃勉坐見諸貴，使斛律金作敕勒歌，歡自和之。按：斛律金出於敕勒（ㄌ也稱鐵勒）族，所以命他作敕勒歌。又按：那首歌本來是鮮卑語，後改爲北齊語，所以長短不整齊。

【本文】

敕勒川，陰山(9)下。天似穹廬(10)，籠蓋四野。天蒼蒼(11)，野茫茫(12)，風吹草低見牛羊。

【注釋】

(9)陰山—山脈名，橫貫綏遠、察哈爾、熱河等省的北部。
(10)穹廬—氈帳。
(11)蒼蒼—深青色。

⑿茫茫——廣遠無邊的樣子。

【賞析】

這是鮮卑族的民歌。那蒼蒼茫茫的景象，是北方獨有的偉大的自然景觀。要有這特殊的背景，才能產生這樣富有地方色彩的詩歌。

首句次句指出地點。三、四兩句，運用簡單的比喻。後三句只是據實寫來，而大自然的動態、生趣就一展無遺。

㈢李波小妹歌

【題解】

本篇出現在魏書裡。李波，是人名，生平不詳。其小妹字雍容，頗有男子氣概，詳見原詩。

【本文】

李波小妹字雍容，褰裙⒀逐馬似卷蓬⒁。左射右射必疊雙。婦女尚如此，男子安可逢⒂！

【注釋】

⒀褰裙——用手提起裙襬。褰，音ㄑㄧㄢ。
⒁卷蓬——把蓬草捲起，比喻容易辦到的事情。卷，捲的古字。
⒂逢——當匹敵的意思解。

【賞析】

這首北朝樂府詩，寫北方遊牧民族的尚武精神。

詩中以李波小妹善騎又善射，來說明民氣的強悍。看她輕易地駕馭著馬匹，左右開弓，好一副神勇的姿態，巾幗不讓鬚眉。後面用一個「尚」字隔開，強調北方的男子更是氣概非凡，不可匹敵啊！

㈣將進酒⒃

李白

【作者】

見第一二課㈥月下獨酌。（頁一〇〇）

【本文】

君不見？——黃河之水天上來，奔流到海不復回。君不見？——高堂明鏡悲白髮，朝如青絲⒄暮成雪。人生得意須盡歡，莫使金樽⒅空對月。天生我材必有用，千金散盡還復來。烹羊宰牛且爲樂，會須⒆一飲三百杯。岑夫子⒇！丹丘生(21)！「將進酒，君莫停。與君歌一曲，請君爲我傾耳聽：鐘鼓饌玉(22)不足貴，但願長醉不願醒。古來聖賢皆寂寞，惟有飲者留其名。陳王昔時宴平樂，斗酒十千恣歡謔(23)。主人何爲言少錢？徑(24)須沽取對君酌。五花馬(25)，千金裘(26)。呼兒將出換美酒，與爾同銷萬古愁。」

【注釋】

(16)將進酒—是古時一個曲名。太白作這首詩，認爲人生在世，不如飲酒放歌，尋些眼前的快活吧！
(17)青絲—少年時髮黑有光，有如青絲一般。
(18)金樽—就是盛酒的大杯子。
(19)會須—合該，就應。
(20)岑夫子—指岑參，是唐朝詩人。
(21)丹丘生—指元丹丘，是一位道士。
(22)鐘鼓饌玉—古代的富貴人家，平日進膳或宴會時，鳴鐘擊鼓以示隆重，而食品也珍美可口。
(23)陳王二句—陳王，是陳思王曹植。平樂，觀名。十千，說酒的價值。謔，嬉笑。這裡是說：像陳思王從前在平樂觀宴飲，雖然一斗酒值得十千錢，大家任意暢飲並嬉笑著，多麼美啊！
(24)徑—直。
(25)五花馬—毛色呈現五花紋的好馬。
(26)千金裘—價值千金的白裘。

【賞析】

本篇是太白的飲酒論，也是他的人生觀。

詩可分三段：「君不見—對月」爲第一段，用黃河之水奔流到海暗示生命的遼闊，但安上「不復回」

的主觀感覺，就產生了壯闊的幻滅感；接著用「朝」對「暮」，「青絲」對「雪」（白髮），暗示生命強烈又迅速地變化；所以逼出了得意應盡歡，莫辜負光陰的觀點。

「天生—其名」爲第二段，作者對自己這塊材料並不菲薄，金盡可以復來，否極就會泰來，是用不著擔心的。只有飲酒才是人生要事，所以鐘鼓的美樂和饌玉的珍食被比下去了；古來的聖賢也被比下去了，而「酒中仙」的地位也鞏固了。

「陳王—古愁」爲第三段，承上飲者留名，請出陳思王作證，肯定了酒與人生的不可分離性。後面以「五花馬，千金裘」的拋擲，換取美酒，又是豪情唯美的表現。末句「與爾同銷萬古愁」，總結全詩，傳達了豪情和愁緒的交織。這「萬古愁」正好與第一段的幻滅遙相呼應，在詩人心靈裡激盪不已。

(五)哀江頭(27)　　杜甫

【作者】

杜甫，字子美，湖北襄陽人。（因他的曾祖遷居河南鞏縣，所以又稱鞏人。）

唐睿宗先天元年（西元七一二年），杜甫生。

玄宗開元十四年（西元七二六年），十五歲，就能和當時文士詩歌唱和，被嘉許為漢代的班固和揚雄一般。

開元十九年（西元七三一年），二十歲，他覺得蟄居家園，會埋沒個性和前程，便南遊吳越。以後三、四年間，他到處遊歷，也曾想去日本，但這個夢究竟沒能實現。

開元二十三年（西元七三五年），二十四歲，赴京兆考進士，沒有考取，內心鬱抑，於是放蕩於山東、山西、河南一帶，同李白、高適那一些浪漫詩人往來唱和。這時杜甫的作品，不論就社會的或藝術的觀點看來，都缺乏特色。

玄宗天寶四年（西元七四五年）左右，三十四歲。由二十五歲開始，除了偶然回老家外，在長安住了八、九年。這時他並不得志，但細心觀察社會現狀的結果，使他的作品風格有了改變。

天寶十四年（西元七五五年），四十四歲，授河西尉的小官，杜甫辭不赴任，後改為率府參軍，他的生活依然窮困。這時，他寄養在陝西奉先的幼子餓死了，遭受巨大變故之後，詩人悲天憫人的胸懷，就直接呈現在作品裡頭。如自京赴奉先、麗人行、兵車行等，都是寫於此時。

天寶十五年（西元七五六年），四十五歲，安祿山造反，玄宗逃到四川，肅宗在靈武即位。杜甫原打算去靈武，不料途中陷入賊手，於是留居長安。當地亂離的景象，成爲他的好詩材，如哀王孫、哀江頭、春望等名篇，都是這個時期作的。

肅宗至德二年（西元七五七年），四十六歲，逃抵鳳翔，謁見肅宗，授左拾遺。因房琯兵敗被連累，免官放還鄜州。這年冬天，官軍收復長安，他從鄜州來京，再官左拾遺。

肅宗乾元元年（西元七五八年），四十七歲，出任華州司功參軍。曾赴洛陽，將沿途所見，寫成有名的「三吏、三別」詩（新安吏、潼關吏、石壕吏、新婚別、無家別、垂老別）。

代宗廣德二年（西元七六四年），五十三歲，嚴武擔任劍南東西川節度使，杜甫入嚴武幕下，爲參謀檢校工部員外郎，世稱杜工部。

代宗永泰元年（西元七六五年），五十四歲，嚴武死了，杜甫黯然離蜀東下。先居夔州，後入湘，登衡山。

代宗大曆五年（西元七七〇年），五十九歲，死於湘江船中。

杜甫詩顯示了唐朝由盛而衰的變化過程，所以被稱爲「詩史」，爲當時社會派詩人。他以古體、律詩見長，風格以沈鬱爲主。有杜工部集。

【本文】

少陵野老(28)吞聲哭，春日潛行曲江(29)曲。江頭宮殿鎖千門，細柳新蒲爲誰綠？憶昔霓旌(30)下南苑(31)，苑中景物生顏色。昭陽殿(32)裡第一人，同輦(33)隨君侍君側。輦前才人(34)帶弓箭，白馬嚼齧黃金勒(35)。翻身向天仰射雲，一箭正墜雙飛翼。明眸皓齒今何在？血污遊魂(36)歸不得！清渭東流劍閣深，去住彼此無消息(37)。人生有情淚霑臆，江草江花豈終極？黃昏胡騎塵滿城，欲往城南望城北(38)。

【注釋】

(27)哀江頭—這首詩在哀悼楊貴妃之死，少陵不敢直說，所以特借貴妃從前遊玩的曲江頭當詩題。
(28)少陵野老—杜甫祖籍少陵原，距杜陵十八公里，所以自稱杜陵布衣或少陵野老。
(29)曲江—在今陝西長安縣東南，有曲折的水流，所以叫曲江。在唐朝時爲一名勝。
(30)霓旌—用羽毛染五彩所製成的旌旗，像虹霓的樣子。
(31)南苑—即芙蓉苑。曲江在京城東南，其南即芙蓉苑，所以也叫南苑。
(32)昭陽殿—本是漢朝宮殿名。用來稱呼楊貴妃所居住的地方。
(33)輦—音ㄋㄧㄢˇ，帝王所乘的車。
(34)才人—宮中女官。
(35)黃金勒—以黃金當作馬勒口。

(36)血污遊魂—指楊貴妃死在馬嵬坡，她渾身污染了血，靈魂到處飄泊。

(37)清渭二句—澄清的渭水向東流去，劍閣附近的江水看起來很深。楊貴妃葬在水濱，玄宗南去四川，彼此都沒有消息可通了！

(38)望城北—曲江地勢較高，四望寬敞，所以杜甫潛行至此地，可以遙望長安之北的靈武，那正是王師所駐守的地方啊！

【賞析】

這首詩作於唐肅宗至德二年（西元七五七年），杜甫身陷賊中，長安尚未光復。

本篇約可分爲三段：「少陵—誰綠」是第一段，有故宮黍離的感慨；所以說「吞聲」「潛行」「誰綠」，恐怕被賊人發現，又把曲江一片荒涼的情景寫出。

「憶昔—飛翼」爲第二段，追憶貴妃隨駕遊苑，萬物生色，昭陽第一，才人帶弓，白馬金勒，是何等熱鬧啊！而才人仰天射雲，雙飛墜翼，暗示著玄宗和貴妃的死別。

「明眸—城北」爲第三段，承前段末句轉入貴妃之死，是全篇主旨。妃子遊魂，玄宗幸蜀，陰陽永隔，誰能忘情，這是正面的哀悼，寫得何等悽愴！末二句北望王師，志存恢復，又表現出詩人忠君愛國的情操。

㈥塞下曲

王昌齡

【作者】

王昌齡，字少伯，京兆長安（今陝西西安）人。生年不詳。登開元十五年（西元七二七年）進士第，補祕書郎；二十二年（西元七三四年）中宏詞科，調汜水尉，遷江寧丞。晚節狂放，貶爲龍標尉。因世亂還鄉，路經亳州，被刺史閭丘曉所殺，時約肅宗至德元年（西元七五六年）。

昌齡擅長七絕，清人沈德潛評曰：「龍標絕句深情幽怨，意旨微茫，令人測之無端，玩之無盡。」（唐詩別裁）他的邊塞詩氣勢雄渾，格調高昂；也有宮怨之作，手法較細密，感情也充滿哀怨。原有集，已散佚，明人輯有王昌齡集。

【本文】

飲馬渡秋水，水寒風似刀。平沙日未沒，黯黯(39)見臨洮(40)。昔日長城戰，咸言意氣高；黃塵足今古，白骨亂蓬蒿。

【注釋】

(39)黯黯——暗沈沈的樣子。

(40)臨洮——今甘肅岷縣。秦築長城，起臨洮至遼東。

【賞析】

這種樂府歌曲，大半是非戰的，本篇也不例外。

前半寫塞外晚秋時節，那河水冰寒，風又尖利，但見平沙日落的荒涼景象。後半是說古來許多戰役，棄屍沙場而無人收埋的白骨，雜在蓬蒿之間，寫得何等驚心動魄。

【附錄】

渭城曲　王　維

渭城朝雨浥輕塵，客舍青青柳色新。勸君更盡一杯酒，西出陽關無故人。

塞上曲　王昌齡

蟬鳴空桑林，八月蕭關道；出塞復入塞，處處黃蘆草。從來幽并客，皆共塵沙老。莫學遊俠兒，矜誇紫騮好！

吳歌、西曲簡介：

前面所選的敕勒歌、李波小妹歌，是南北朝時北方民歌的代表作。至於南方民歌的代表，一是江南的吳歌，一是荊楚一帶的西曲。吳歌豔麗而柔弱，西曲浪漫而熱烈。其內容雖同爲男女戀愛的描述，其作風卻有不同的情趣。底下各舉二例，請自行閱讀比較：

吳歌：

春林花多媚，春鳥意多哀。春風復多情，吹我羅裳開。（子夜四時歌）

白石郎，臨江居，前導江伯後從魚。積石如玉，列松如翠，郎豔獨絕，世無其二。（白石郎曲）

西曲：

青荷蓋綠水，芙蓉披紅鮮。下有並根藕，上生並頭蓮。（青陽度）

聞歡下揚州，相送楚山頭。探手抱腰看，江水斷不流。（莫愁樂）

一四　新詩選㈣

王獨清

【作者】

王獨清，陝西西安市人，生於清德宗光緒二十四年（西元一八九八年）。民國九年，留學法國，至民國十五年才回國，除了擔任教職外，並曾主編《創造月刊》、《展開月刊》，極力宣揚新文學。民國二十六年，抗日戰爭開始，他返回故鄉。民國二十九年，因病去世，年四十三。曾出版《聖母像前》、《死前》、《威尼斯》、《埃及人》、《鍛煉》等詩集。

王氏在法國深受浪漫主義和象徵主義的影響，因此早年的詩作，充滿頹廢哀傷的氣氛。他曾說要提倡「純粹的詩」，也想學法國象徵派詩人，把「色」與「音」放在文字中。他的詩常表現著哀感悲抑的頹廢氣氛，講求音韻，注重修辭，《死前》集可以算為代表作。但後期的生活有所改變，作品的風格也完全改觀，在《鍛煉》集中就有很多社會性的作品。（周錦著《中國新文學史》第四章）而朱自清則認為「王獨清氏所作，還是拜倫式的雨果式的為多；就是他自認為象徵派的詩，也似乎豪勝於幽，顯勝於晦。」（《中國新文學大系‧詩歌一集‧導言》）由此可見，他雖受象徵派影響，但沒有像李金髮、戴望舒那麼深，倒是他在詩中常夾雜外國文字的習慣，給人不中不西的感覺。

王氏曾基於一時的激情，替左派吶喊，但「富於熱情薄於理智的詩人氣質，以及自由思想，絕不容於左派，初被稱為純情詩人或傷感主義者，左聯成立後竟被無情地侮罵，且不惜施以人身攻擊，實在是中國文壇的莫大悲哀。」（見周錦著《中國新文學史》頁 423）。

【題解】

除了在形式上走象徵主義路線，句子喜歡夾雜外語之外，王獨清在詩的內容也有一貫的特質，那就是「歌唱出他的兩種主要的動機：第一是對於過去的沒落的貴族的世界的憑弔，第二是對於現在的都市生活之頹廢的享樂的陶醉與悲哀。」（穆木天語）所以在浪漫色彩中帶有哀傷的味道。可惜後來轉往歌頌工農階級的左派「普羅文學」陣營，以致無法在自己原有創作風格上確立深一層的典範。

本課選了王氏兩篇作品，除了借以了解他寫作的特色外，同時可以發現，所謂哀情，不僅是男女私情，家國之情也是相當重要的一環。

【本文】

㈠我從 Café 中出來……

我從 Café 中出來，

身上添了
中酒的
疲乏，
我不知道
向那一處走去，纔是我底
暫時的住家……
啊，冷靜的街衢，
黃昏，細雨！

我從 Café 中出來，
在帶著醉
無言地

獨走，
我底心內
感著一種，要失了故國的
浪人底哀愁……
啊，冷靜的街衢，
黃昏，細雨！
㈡別羅馬女郎
我可敬的羅馬女郎，
你，我將永遠不忘！
今晚的我啊，
就要別你這個光榮的故鄉！
你底故鄉，雖是惹人戀想，

但為了和你相別呀！
你纔能這般惆悵，這般惆悵！

我最敬愛的羅馬女郎，
我一定是永遠不忘，
今夜的景色呀，
卻怎麼是異常的淒涼！
淒涼，淒涼，我獨行在街上，
我想這兒若沒有你呀，
這羅馬城，怕只是個沙漠的窮荒！

【賞析】

第一首詩以「黃昏，細雨」象徵作者內心的冷清孤寂，所以開頭借酒澆愁，但無論怎麼喝，總是「身上添了中酒的疼乏」，而不是暫時抛開煩惱。抑鬱的心情，讓他失去了方向，不知何處可以棲身，茫然若失地到處飄泊。第二段從酒館出來，帶著醉意「無言地獨走」，仍有借酒澆愁愁更愁之意。在極度孤獨的心境下，深深感受到「要失了故國的浪人底哀愁」，這就不只是兒女私情，而已經擴大到家國層次的感情了。本詩意象鮮明，節奏明快，層次分明，且含不盡的餘韻，值得品味。

第二首〈別羅馬女郎〉則在抒發離別的惆悵。首先，因為要離開「惹人戀想」的「光榮的故鄉」，內心難免陷入矛盾掙扎當中，那不捨之情油然而升，溢於言表。第二段寫羅馬女郎令人念念不忘，但今夜的景色卻「異常的淒涼」，其關鍵還是在於無奈的離別罷了。結尾以羅馬城若沒有你，「怕只是個沙漠的窮荒」的驚悚語句，來表達「你」的分量，於是凸顯了「你」的重要性，而離開你就更讓人黯然神傷了。

一五　范進中舉

吳敬梓

【作者】

吳敬梓，字敏軒，一字文木，清安徽省全椒縣人，生於清聖祖康熙四十年（西元一七〇一年），死於清高宗乾隆十九年（西元一七五四年），年五十四。

他自幼聰慧過人，讀書過目不忘，尤其精於文選及詩賦。他的家境原本富有，但因生性豪放，不會治產，整日詩酒風流自娛，以致家業衰落，只好移居江寧。三十五歲時，安徽巡撫舉薦他應「博學宏詞科」的考試，他託病不去。晚年客居揚州，落拓縱酒。

儒林外史，是吳敬梓根據他親身的經驗，從多方面揭露士大夫的墮落和矯飾的諷刺小說，對科舉制度和官場醜態，有著深刻的譏刺，是中國小說史上極少見的一部諷刺文學名著。

【題解】

本文節錄自儒林外史第三回，原題爲「周學道校士拔眞才，胡屠戶行兇鬧捷報。」敘述廣東老童生范進，從二十歲考到五十四歲，連「秀才」也沒考中。後來廣東學道周進看他的文章合了眼，便取了第一名。

接著到省城考試，居然中了舉人。捷報傳來，他因驚喜過度，發了瘋，竟鬧出種種笑話。

本文即藉著「范進中舉」的前後經過，來刻劃科舉時代種種可憐、可悲、可笑、可鄙的形態；作者對范進的迂腐、懦弱和他岳父胡屠戶的刻薄、勢利，描寫得尤其淋漓盡致。

【本文】

范進進學⑴回家，母親妻子俱各歡喜。正待燒鍋做飯，只見他丈人胡屠戶，手裡拿著一副大腸和一瓶酒，走了進來。范進向他作揖，坐下。胡屠戶道：「我自倒運，把個女兒嫁與你這現世寶⑵、窮鬼，歷年以來，不知累了我多少。如今不知因我積了甚麼德，帶挈你中了個相公⑶，我所以帶個酒來賀你。」范進唯唯連聲，叫渾家⑷把腸子煮了，燙起酒來，在茅草棚下坐著。母親自和媳婦在廚下造飯。胡屠戶又吩咐女壻道：「你如今既中了相公，凡事要立起個體統⑸來。比如我這行事⑹裡都是些正經有臉面的人，又是你的長親，你怎敢在我跟前裝大。若是家門口，這些做田的、扒糞的，不過是平頭百姓，你若同他拱手作揖，平起平坐⑺，這就是壞了學校規矩，連我臉上都無光了。你是個爛忠厚沒用的人，所以這些話我不得不教導你，免得惹人笑話。」范進道：「岳父見教的是。」胡屠戶又道：「親家母也來這裡坐著吃飯。老人家每日小菜飯，想也難過。我女孩兒也吃些。自從進了你家門，這十幾年，不知豬油可曾吃過兩、三回哩。可憐！可憐！」說罷，婆媳兩個都來坐著吃了飯。吃到日西時分，胡屠戶吃的醺醺的⑻。這裡母子兩個，千恩萬謝。胡屠戶橫披了衣服，腆著⑼肚子去了。

次日，范進少不得拜拜鄉鄰。魏好古⑽又約了一個同案⑾的朋友，彼此往來。因是鄉試年⑿，做了幾個文會⒀。不覺到了六月盡頭，這些同案的人約范進去鄉試。范進因沒有盤費，走去同丈人商議，被胡屠戶一口啐在臉上，罵了一個狗血噴頭⒁道：「不要失了你的時了！你自己只覺得中了一個相公，就『癩蝦蟆想吃天鵝屁⒂。』我聽見人家說，就是中相公時，也不是你的文章，還是宗師⒃看見你老，不過意，捨與你的。如今癡心就想中起老爺⒄來。這些中老爺的都是天上的文曲星⒅。你不看見城裡張府上那些老爺，都有萬貫家私，一個個方面大耳。像你這尖嘴猴腮，也該撒泡尿自己照照；不三不四，就想天鵝屁吃。趁早收了這心，明年在我們行事裡替你尋一個館⒆，每年尋幾兩銀子，養活你那老不死的老娘和你老婆是正經。你問我借盤纏⒇，我一天殺一個豬還賺不得錢把銀子(21)，都把你去丟在水裡，叫我一家大小喝西北風。」一頓夾七夾八，罵的范進摸門不著(22)，辭了丈人回來，自心裡想：「宗師說我火候已到(23)，自古無場外的舉人，如不進去考他一考，如何甘心。」因向幾個同案商議，瞞著丈人，到城裡鄉試。出了場，即便回家，家裡已是餓了兩、三天，被胡屠戶知道，又罵了一頓。

到了出榜那日，家裡沒有早飯米，母親吩咐范進道：「我有一隻生蛋的母雞，你快拿集上(24)去賣了，買幾升米來煮餐粥吃，我已是餓的兩眼都看不見了。」范進慌忙抱了雞，走出門去。才去不到兩個時辰，只聽得一片聲的鑼響，三匹馬闖將來。那三個人下了馬，把馬拴在茅草棚上，一片聲叫道：「快請范老爺出來，恭喜高中了。」母親不知是甚事，嚇得躲在屋裡，聽見中了，方敢伸出頭來說道：「諸位請坐，小兒方才出去了。」那些報錄人(25)道：「原來是老太太。」大家簇擁著要喜錢。正在吵鬧，又是幾匹馬，二報、三報到了，擠了一屋的人，茅草棚地下都坐滿了。鄰居都來了，擠著看。老太太沒奈何，只得央及(26)一個鄰居去尋他兒子。

那鄰居飛奔到集上，一地裡(27)尋不見；直尋到集東頭，見范進抱著雞，手裡插個草標(28)，一步一踱(29)的，東張西望，在那裡尋人買。鄰居道：「范相公快些回去，恭喜你中了舉人。報喜人擠了一屋裡。」范進道是哄他，只裝不聽見，低著頭，往前走。鄰居見他不理，走上來，就要奪他手中的雞。范進道：「你奪我的雞怎的？你又不買。」鄰居道：「你中了舉人，叫你家去打發報子哩。」范進道：「高鄰，你曉得我今日沒有米，要賣這隻雞去救命。爲什麼拿這話來混我？我又不同你頑，你自去囉，莫誤了我賣雞。」鄰居見他不信，劈手把雞奪了，摜(30)在地下，一把拉了回來。報錄人見了道：「好了，新貴人回來了。」正要擁著他說話，范進三、兩步進屋裡來。見屋中報帖已經升掛起來，上寫道：

「捷報(31)貴府老爺范諱(32)進，高中廣東鄉試第七名亞元(33)，京報連登黃甲(34)。」

范進不看也罷，看了一遍，又念一遍，自己把兩手拍一下，哭了一聲道：「噫！好了！我中了！」說著。往後一交跌倒，牙關咬緊，不理人事。老太太慌了，忙將幾口開水灌了過來。他爬將起來，又拍著手大笑道：「噫！好了！我中了！」笑著，不由分說。就往門外飛跑，把報錄人和鄰居都嚇了一跳。走出大門不多路，一腳踹在塘裡，掙起來，頭髮都散了，兩手黃泥，淋淋漓漓一身的水，家人拉他不住，拍著笑著，一直走到集上去。

衆人大眼望小眼，一齊道：「原來新貴人歡喜瘋了。」老太太哭道：「怎生這樣苦命的事！中了一個甚麼舉人，就得了這個拙病(35)！這一瘋了，幾時才得好！」娘子胡氏道：「早上好好出去，怎的就得了這樣的病？卻是如何是好！」衆鄰居勸道：「老太太不要心慌。我們而今且派兩個人跟定了范老爺；這裡衆人家裡拿些雞蛋、酒來，且管待了報子上的老爺們，再爲商酌。」當下衆鄰居，有拿雞蛋來的，有拿白酒來的，也有背了斗米來的，也有提了兩隻雞來的。娘子哭哭啼啼，在廚下收拾齊了，拿在草棚下。鄰居又搬些桌凳。請報錄的坐著吃酒；商議：「他這瘋了，如何是好？」報錄的內中有一個人道：「在下倒有一個主意，不知可以行得行不得？」衆人問如何主意。那人道：「范老爺平日可有最怕的人？只因他歡喜很了，痰湧上來，迷了心竅，如今只消他怕的這個人來打他一個嘴巴，說『這報錄的話都是哄你的，你並不曾中。』他吃這一嚇，把痰吐了出來，就明白了。」衆人都拍手道：「這個主意好得緊，妙得緊！范老爺怕的，莫過於肉案子上胡老爺。好了，快尋胡老爺[36]來。他想是還不知道，在集上賣肉哩。」又一個人道：「在集上賣肉，他倒好知道了；他從五更鼓[37]就往東集頭上迎豬[38]，還不曾回來。快些迎著去尋他。」

一個人飛奔前去，走到半路，遇著胡屠戶來，後面跟著一個燒湯的二漢[39]，提著七、八斤肉。四、五千錢，正來賀喜。進門見了老太太；老太太哭著告訴一番。胡屠戶詫異道：「難道這等沒福！」外邊人一片聲請胡老爺說話。胡屠戶把肉和錢交與女兒，走了出來。衆人如此這般同他商議。胡屠戶作難道：「雖然是我女壻，如今卻做了老爺，就是天上的星宿。天上的星宿是打不得的。我聽得齋公⑽們說：『打了天上星宿，閻王就要拿去打一百鐵棍，發在十八層地獄，永不得翻身。』我卻不敢做這樣的事。」鄰居內一個尖酸人說道：「罷麼！胡老爺！你每日殺豬的營生，白刀子進去，紅刀子出來；閻王也不知叫判官在簿上記了你幾千條鐵棍。就是添上這一百棍，也打甚麼要緊？只恐把鐵棍子打完了，也算不到這筆帳上來。或者你救好了女壻的病。閻王敘功，從地獄裡把你提上第十七層來也不可知。」報錄的人道：「不要只管講笑話。胡老爺，這個事須是這般。你沒奈何，權變⑾一權變。」屠戶被衆人局⑿不過，只得連斟兩盌酒喝了，壯一壯膽，把方才這些小心收起，把平日兇惡樣子拿出來，捲一捲那油晃晃⒀的衣袖，走上集去，衆鄰居五、六個都跟著走。老太太趕出來叫道：「親家，你只可嚇他一嚇，不要把他打傷了！」衆鄰居道：「這個自然，何消吩咐。」說著，一直去了。

來到集上，見范進正在一個廟門口站著，散著頭髮，滿臉污泥，鞋都跑掉了一隻，兀自⒁拍著掌，口裡叫道：「中了！中了！」胡屠戶凶神一般走到跟前，說道：「該死的畜生！你中了甚麼？」一個嘴巴打將去。衆人和鄰居見這模樣，忍不住的笑。不想胡屠戶雖然大著膽子打了一下，心裡到底還是怕的，那手早顫起來，不敢打第二下。范進這一個嘴巴，卻也打暈了，昏倒於地。衆鄰居齊上前替他抹胸口，捶背心，舞了半日⑷，漸漸喘息過來，眼睛明亮，不瘋了。衆人扶起，借廟門口一個外科郎中⑷跳駝子⑷板凳上坐著。胡屠戶站在一邊，不覺那隻手隱隱的疼將起來，自己看時，把個巴掌仰著，再也彎不過來。自己心裡懊惱道：「果然天上文曲星是打不得的，而今菩薩計較起來了。」想一想，更疼的很了，連忙向郎中討了個膏藥貼著。

范進看了衆人，說道：「我怎麼坐在這裡？」又道：「我這半日昏昏沈沈，如在夢裡一般。」衆鄰居道：「恭喜高中了。適才歡喜的有些引動了痰，方才吐出幾口痰來，好了。快請回去打發報錄人。」范進說道：「是了。我也記得中的第七名。」范進一面自綰⑷了頭髮，一面問郎中借了一盆水洗洗臉。一個鄰居早把那一隻鞋尋了來，替他穿上。見丈人在跟前，恐怕又要罵。胡屠戶上前道：「賢壻老爺，方才不是我敢大膽，是你老太太的主意，央我來勸你的。」鄰居內一個人道：「胡老爹方才這個嘴巴打得親切，少頃范老爺洗臉，還要洗下半盆豬油來。」又一個道：「老爹，你這手明日殺不得豬了。」胡屠戶道：「我那裡還殺豬！有我這賢壻老爺，還怕後半世靠不著麼？我每常說，我的這個賢壻，才學又高，品貌又好，就是城裡頭那張府、周府這些老爺，也沒有我女壻這樣一個體面的相貌。你們不知道，得罪你們說，我小老這一雙眼睛卻是認得人的。想著先年，我小女在家裡長到三十多歲，多少的富戶要和我結親；我自己覺得女兒像有些福氣的，畢竟要嫁個老爺，今日果然不錯。」說罷，哈哈大笑。衆人都笑起來。看著范進洗了臉，郎中又拿茶來吃了，一同回家；范舉人先走，胡屠戶和鄰居跟在後面。屠戶見女壻衣裳後襟滾皺了許多，一路低著頭替他扯了幾十回。到了家門，屠戶高聲叫道：「老爺回府了！」老太太迎著出來，見兒子不瘋，喜從天降。衆人問報錄的，已是家裡把屠戶送來的幾千錢打發他們去了。范進見了母親，復拜謝丈人。胡屠戶再三不安道：「些須⑷幾個錢，還不夠你賞人哩！」

【注釋】

⑴進學—科舉時代，童生考上府縣學校爲生員，也稱秀才，普通叫做進學。
⑵現世寶—罵人的話，是說不成器，沒出息的東西。
⑶相公—科舉時代，一般人對秀才的稱呼。
⑷渾家—妻子。
⑸體統—儀制、架子。
⑹行事—職業。
⑺平起平坐—平等看待。
⑻醺醺的—酣醉的樣子。
⑼腆著—凸出來。腆，音ㄊㄧㄢˇ。
⑽魏好古—和范進同時進學的少年才子。
⑾同案—同科進學的人。案即試榜。
⑿鄉試年—舉行鄉試的一年。鄉試是在省城舉行的科舉考試，考中的稱舉人。鄉試每三年舉行一次。
⒀文會—集合友朋作文章，互相觀摩的集會，取「以文會友」的意思。
⒁狗血噴頭—民俗以爲用狗血澆頭，可使妖魅現出原形。這裡是汚穢不堪的意思。
⒂癩蝦蟆……屁—比喻不自量力。

⒃宗師－主考官。
⒄老爺－科舉時代，一般人對舉人的稱呼。
⒅文曲星－又名文星，古時以為是上天主文運的星。
⒆尋一個館－找一個家館（家庭教師）的位置。
⒇盤纏－旅費。
(21)錢把銀子－一錢上下銀子，十錢為兩。
(22)摸門不著－猶言莫名其妙。
(23)火候已到－火候，道家謂煉丹藥及修養到適當時候。引用作「功夫」講。功夫或學力已到家。
(24)集上－市場上。
(25)報錄人－發榜後來報告錄取喜信的人。
(26)央及－請求。
(27)一地裡－到處。
(28)草標－草桿，插在東西上表示出售的意思。
(29)踱－緩步、慢慢走。
(30)摜－擲，丟。
(31)捷報－快報，勝利的喜報。
(32)諱－古時卑幼者對於尊長不敢直呼其名，臨文對話必諱人。諱是避忌的意思，稱諱是表尊敬不敢直稱其名的意思。
(33)亞元—鄉試第一名稱「解元」，第二名爲「亞元」，第三名以下不稱元。報錄人稱第七名爲亞元，意在獻諂媚，以求厚賞。
(34)京報連登黃甲—是一句吉利話，表示會試、殿試連捷，京中的喜報也就要送來了的意思。殿試分三甲，進士榜用黃紙書寫，所以稱「黃甲」或「金榜」。
(35)拙病—惡病。
(36)老爺—胡屠戶。
(37)五更鼓—天亮的時候。
(38)迎豬—買豬。
(39)二漢—夥計。
(40)齋公—吃素信佛，在寺院中做燒香掃地等工作的人。
(41)權變—通融。通權達變，不墨守成法的意思。
(42)局—逼迫。
(43)油晃晃—油得發光發亮的意思。
(44)兀自—還是。
(45)舞了半日—弄了好久。
(46)郎中—醫生。

(47)䟫駝子──外科郎中的綽號。

(48)綰──音ㄨㄢˇ，繫結。

(49)些須──少許。

【結構】

請依提示，整理出主要人物的言行：

范進　胡屠戶　范進妻母　鄰人

范進　中相公

范進　應鄉試

范進　中舉人

【討論】

一、從本文來看，當時人們對科舉考試懷著怎樣的看法？
二、胡屠戶在人們的心目中，是個什麼樣的角色？
三、人物個性的刻劃，是本文的最大特色，請舉例分析范進、胡屠戶二人的性格。

一六　讀者可以自負之處

夏丏尊

【作者】

夏丏尊，本名鑄，字勉旃，浙江省上虞縣人，生於清光緒十一年（西元一八八五年），卒於民國三十五年（西元一九四六年），年六十。

夏氏幼時在家塾裡讀書，學作八股文，天資聰明，十六歲就考取秀才。曾留學日本東京高等工業學校，因家境貧困，尚未畢業，便輟學返國。歷任浙江第一師範、上虞春暉中學等校國文教員、暨南大學教授及上海開明書店編譯所主任等職。

夏氏以介紹日本文學，翻譯兒童文學，撰著散文出名。著有平屋雜文、文藝論ABC、生活與文學、文章作法、文章講話、現代世界文學大綱、文心、閱讀與寫作等書，譯有愛的教育、續愛的教育、國木田獨步集、芥川龍之介集等。

【本文】

文藝⑴不但在創作⑵上是人的表現，就是在鑑賞⑶上也是人的反映；淺薄的人不能寫出好的文藝，同時，淺薄的人也不能瞭解好的文藝。創作與鑑賞，在某種意義上，是一致的事情。日本廚川白村⑷在他的苦悶的象徵⑸裡，曾把鑑賞稱為「共鳴⑹的創作」。眞的，鑑賞也是一種創作，不過創作是作家自己表現，鑑賞卻是由作家所表現的逆溯作家⑺，順序上有不同而已。

眞有鑑賞力的讀者，應該以讀者的資格自負，不必慚愧自己並非作家。在藝術的各部門中，最容易使人發生創作的野心的，要算文藝了。聽到名曲的時候，看到好繪畫、好雕刻、好戲劇的時候，普通人都只以聽者、觀者自居，除了鑑賞、享樂以外，不會發生自己來作曲、彈奏，自己來執筆、運鑿⑻，自己來現身舞台的野心。獨於文藝則不然。普通人只要讀過幾冊文藝書，往往就想自己試作，不肯安居於讀者的地位。因為文藝所用的材料是我們日常習用的語言，表面上看來，不像別種藝術那樣對於材料須有練習功夫與專門知識。可是要知道，鑑賞是共鳴的創作，這是就心情上說的。實際的文藝創作到底要靠天才，不是普通人所能勝任。文藝所用的材料雖是日常語言，似乎不如別種藝術那樣需要特別素養⑼，但是語言文字的驅遣，究竟要有過人的敏感和熟練才行，這也不比別種藝術來得容易。再說，文藝是作者自己的表現，作者如果沒有什麼特出的人格⑽（這並非僅指道德而言），即使對於語言文字有了特出的技巧，也還是沒有用的。

文藝鑑賞本身自有價值，不必定以創作爲目的，這情形恰和受教育不必定以作教師爲目的一樣。不消說，要作教師，先得受教育，要創作文藝，先得鑑賞文藝。可是創作究竟不能單從鑑賞而成功。不信，你看事實。每年從各國大學文學系畢業的，合計起來總該有幾萬人吧，他們當然是研究了文藝上的法則，熟諳了語言文字的技巧了，當然是讀破名著，富有鑑賞力的人；然而他們大多數沒有成爲作家，全世界成功的作家還是寥寥可數。並且，成功的作家之中，有些人竟沒有入過大學。英國的名小說家狄更斯⑾是擦鞋出身。有些人雖曾入過大學，卻不是文科出身，日本的有島武郎⑿是學農業的。

鑑賞文藝未必就能成爲創作家，這個話似乎會使諸君灰心。其實祇要能鑑賞，不能創作也沒有什麼慚愧，因爲我們由於作品的鑑賞，已經與作家作精神上的共鳴了，已經把自己提高到作家相近的地位了。眞有聽音樂的耳朵的，聽了某名曲所興起的情緒，照理該和作曲者製曲時的情緒一樣。所以就某名曲說，在技巧上，聽者固然不及作者，可是在享受上，聽者和作者是相等的，祇要他善於聽。

作家原値得崇拜，自己果眞有創作的天才，不消說，自然應該把他發揮出來。但是接近文藝的人個個要想成爲作家，那究竟是不可能的事。與其做一個無聊的創作者，寧可做一個好的讀者、欣賞者，我們不必爲不能創作自慚，還該以好的讀者、欣賞者自負。

【注釋】

(1)文藝──文學與藝術之簡稱，包括文學、美術、音樂、建築等。也有單指文學這一門藝術的。此處即屬後一義。

(2)創作──文學及藝術作品，出於己意，不事模仿者，稱爲創作。

(3)鑑賞──對藝術品的品鑑與欣賞。

(4)廚川白村—廚川白村（一八八〇—一九二三年），日本文藝思想家及批評家。生於京都。曾留學美國，得到文學博士學位。歸國後，任京都帝國大學教授。民國十二年死於日本大地震。著有廚川白村全集。

(5)苦悶的象徵—書名，廚川白村著，主要內容爲討論文藝創作過程。

(6)共鳴—比喻文藝之創作，可以感動讀者，而生同情，宛如物理學上所生之共鳴現象。

(7)逆溯作家—指從作品中追尋作者的構想過程。溯，音ㄙㄨˋ，逆流而上曰溯。

(8)運鑿—運、雕刻。鑿，音ㄗㄨㄛˋ。

(9)素養—平日的修養和訓練。

(10)人格—這裡指人的特質與性情。

(11)狄更斯—英國小說家，幼時極爲窮困，以擦靴餬口。長大後，爲律師事務所雇工，後改業爲新聞記者，從事寫作。著有雙城記、塊肉餘生錄，我國均有譯本。

(12)有島武郎—近代日本小說家（西元一八七八—一九二三年）。著有有島武郎全集。

【結構】

請同學整理出本課綱目：

【討論】

一、文藝創作須具備那些條件？

二、讀者可以自負之處究竟何在呢？爲什麼？

三、作家值得崇拜，因爲他可以創作文藝供讀者欣賞，那麼鑑賞者能不能在「共鳴的創作」中，提供讀者可欣賞的園地呢？

一七　說避暑之益

林語堂

【作者】

林語堂，原名和樂，讀大學時改名玉堂，又改語堂。清光緒二十一年（西元一八九五年），生於福建省龍溪縣坂仔村，他的父親是基督教牧師。

民國前一年（西元一九一一年），十七歲，以第二名成績畢業於廈門市教會主辦的尋源書院，隨即考進上海聖約翰大學文科。

民國五年（西元一九一六年），二十二歲，大學畢業，在清華大學教英文。

民國八年（西元一九一九年），二十五歲，與廖翠鳳結婚，婚後即赴美國哈佛大學研究語音學，獲碩士學位。

民國九年（西元一九二〇年），二十六歲，遊歷法國，第二年到德國殷內大學研究，又往萊比錫大學研究。

民國十二年（西元一九二三年），二十九歲，獲萊比錫大學博士學位歸國，出任北京大學教授、北京女子師範大學教務長及英文系主任。

民國十五年（西元一九二六年），三十二歲，任廈門大學文學院院長。

民國十六年（西元一九二七年），三十三歲，到武漢任國民政府外交部秘書。此後即開始一連串的寫作生涯。

民國二十一年（西元一九三二年），三十八歲，創辦「論語半月刊」。

民國二十三年（西元一九三四年），四十歲，創辦「人間世半月刊」。

民國二十四年（西元一九三五年），四十一歲，創辦「宇宙風半月刊」。

民國二十五年（西元一九三六年），四十二歲，在上海設立人間書屋，出版「人間叢書」。

民國二十八年（西元一九三九年），四十五歲，赴美。

民國三十四年（西元一九四五年），五十一歲，專心研究中文打字機。

民國三十六年（西元一九四七年），五十三歲，應聯合國邀請，主持聯合國教育文化組織文藝組，全家由美國遷巴黎。

民國四十一年（西元一九五二年），五十八歲，在美國創辦「天風月刊」，自任社長。

民國四十三年（西元一九五四年），六十歲，出任南洋大學校長，隔年辭職去美國。

民國五十五年（西元一九六六年），七十二歲，回台灣定居。

民國五十六年（西元一九六七年），七十三歲，應香港中文大學中文研究所之請，主編「當代漢英詞典」，民國六十年編好，交付該校出版，爲一本對溝通中西文化有極大貢獻的著作。

民國六十四年（西元一九七五年），八十一歲，當選「國際筆會」第四十一屆副會長。

民國六十五年（西元一九七六年），三月病逝於香港瑪麗醫院。

林語堂的著作很多，包括中文、英文，還有翻譯作品。英文著作有三十四種，如吾國與吾民、生活的藝術、朱門、唐人街之家、遠景、紅牡丹、蘇東坡傳等；中文著作如錦秀集、女子與知識、月亮與臭蟲、歐風美雨、幽默小品集、創造、大荒集、無所不談及自傳等；翻譯作品如勵志文集、賣花女等，都是膾炙人口的作品。素有中國幽默大師的雅號。

【題解】

民國十幾年至抗戰之前，由於左派分子的干擾，文壇出現很多沒必要的爭執，林語堂爲免陷溺其中，遂專寫閒雅安適的文章，而不關社會世俗。本課即是這樣的作品。作者藉著遷居，表達對孤立閉鎖的新式洋房的不適；他認爲只有在伴著青蛙、蟾蜍、夏蟬、小青蛇、蜘蛛的生活空間，才能尋回人類原屬大自然的一份本質。作者透過悠然的聯想，記敘避暑的種種樂事，舉凡飯店的小吃、留聲機的音樂以及福爾摩斯的小說，皆是旅途中令人再三回味的瑣事。

【本文】

我新近又搬出分租的洋樓，而住在人類所應住的房宅了。十月前，當我搬進去住洋樓的分層時，我曾經鄭重的宣告，我是生性不喜歡這種分租的洋樓的。那時我說我本性反對住這種樓房，這種樓房是預備給沒有小孩而常川住在家裡的夫婦住的，而且說，除非現代文明能夠給人人一塊宅地，讓小孫去翻觔斗捉蟋蟀弄得一身骯髒痛快，那種文明不會被我重視。我說明所以搬去那所樓層的緣故，是因那房後面有一片荒園，有橫倒的樹幹，有碧綠的池幅，看出去是枝葉扶疏，林鳥縱橫，我的書窗之前，又是夏天綠葉成蔭冬天子滿枝。在上海找到這樣的野景，不能不說是重大的發現，所以決心租定了。現在我們的房東，已將那塊園地圍起來，整理起來，那些野樹已經栽植得有方圓規矩了，陣伍也漸漸整齊了，而且雖然尚未砌出來星形八角等等的花臺，料想不久總會來的。所以我又搬出。

現在我是住在一所人類所應住的房宅，如以上所言。宅的左右有的是土，足踏得土，踢踢瓦礫是非常快樂的。我宅中有許多青蛙蟾蜍，洋槐樹上的夏蟬整天價的鳴著，而且前晚發現一條小青蛇，使我猛覺我已成爲歸去來兮的高士了。我已發現了兩種的蜘蛛，還想到城隍廟去買一隻龜，放在園裡，等著看龜觀蟾蜍吃蚊子的神情，倒也十分有趣。我的小孩在這園中，觀察物競天擇優勝劣敗的至理，總比在學堂念自然教科書，來得親切而有意味。只可惜尚未找到一隻壁虎。壁虎與蜘蛛鬥起來眞好看啊！……我還想養隻鴿子，讓牠生鴿蛋給小孩玩。所以目前嚴重的問題是，有沒有壁虎？假定有了，會不會偷鴿蛋？

由是我想到避暑的快樂了。人家到那裡去避暑的可喜的事，我家裡都有了。平常人不大覺悟，避暑消夏旅行最可記的事，都是那裡曾看到一條大蛇，那裡曾踏著壁虎蝎子的尾巴。前幾年我曾到過莫干山，到現在所記得可樂的事，只是在上山路中看見石龍子的新奇式樣，及曾半夜裡在床上發現而用阿摩尼亞射殺一隻極大的蜘蛛，及某晚上曾由右耳裡逐出一隻火螢。此外便都忘記了。在消夏的地方，談天總免不了談大蟲的。你想，在給朋友的信中，你可以說「昨晚歸途中，遇見一條大蛇，相覷而過。」這是多麼稱心的樂事。而且在城裡接到這封信的人，是怎樣的羨慕，假定他還有點人氣，閱信之際，必擲信慨然而立曰：「我一定也要去。我非請兩星期假不可。不管老闆高興不高興！」自然，這在於我，現在已不能受誘惑了，因爲我家裡已有了蛇，這是上海人家裡所不大容易發現的。

避暑還有一種好處，就是可以看到一切的親朋好友。我們想去避暑旅行時，心裡總是想著：「現在我要去享一點清福，隔絕塵世，依然故我了。」紘外之音，似乎是說，我們暫時不願揖客，鞠躬，送往迎來，而想去做自然人。但是這不是眞正避暑的理由，如果是，就沒有人去青島、牯嶺避暑了。或是果然是，但是因爲船上就發現你的好友陳太太，使你不能達到這個目的。你在星期六晚到莫干山，正是黃昏外出散步，忽然聽見背後有人喊著：「老王！」你聽見這樣喊的時候，心中有何感覺，全憑你自己。星期日早，你上星期五晚剛見到的隔壁潘太太同她一家小孩，也都來臨了。星期一下午，前街王太太也翩然蒞止了。星期二早上，你出去步行，眞眞出乎意外，發現何先生何太太也在此地享隔絕塵世的清福。由是你又請大家來打牌，吃冰淇淋，而陳太太說：「這多麼好啊！可不是正同在上海一樣嗎？」換句話說，我們避暑，就如美國人遊巴黎，總要在

L'Opara前面的一家咖啡館，與同鄉互相見面。據說Montmartre有一家飯店，美國人遊巴黎，非去賜顧不可，因爲那裡可以吃到眞正美國的炸團餅。這一項消息，Anita Loos女史早已在「碧眼兒日記」鄭重載錄了。

自然，避暑還有許多益處。比方說，你可以帶一架留聲機，或者同居的避暑家總會帶一架，由是你可以聽到年頭年底所已聽慣的樂調，如璇宮艷舞，麗娃栗妲之類。還有一樣，就是整備行裝的快樂高興。你跑到永安公司，在那裡思量打算，游泳衣是淡紅的鮮艷，還是淺綠色的淡素，而且你如果是盧騷陶淵明之信徒，還須考慮一下：短統的反翻口襪，固然涼爽，如魚網大花格的美國「開索」襪，也頗肉感，有寓露於藏之妙，而且巴黎胭脂，也是「可的」的好。因爲你不擦胭脂，總覺得不自然，而你到了山中避暑，總要得其自然爲妙。第三樣，富賈，銀行經理，要人也可以借這機會，帶幾本福爾摩斯小說，看看點書。在他手不釋卷躺在藤椅上睡覺之時，有朋友叫醒他，他可以一面打哈一面喃喃的說：「啊！我正在看點書。我好久沒有看過書了。」第四樣益處，就是一切家庭秘史，可在夏日黃昏的閒話中流露出來。在城裡，這種消息，除非由奶媽傳達，你是不容易聽到的。你聽見維持禮教樂善好施的社會中堅某君有什麼外遇，平常化裝爲小商人，手提廣東香腸工夂工夂跑入弄堂來找他的相好；或是何老爺的丫頭的嬰孩相貌，非常像何老爺。如果你爲人善談，在兩星期的避暑期間，可以聽到許多許多家庭秘史，足做你回城後一年的談助而有餘。由是我們發現避暑最後一樣而最大的益處，就是——可以做你回城交際談話上的題目。

要想起來，避暑的益處還有很多。但是以上所舉各點，已經有替廬山青島飯店做義務廣告的嫌疑了。就此擱筆。

【附錄】

論散文

梁實秋

「散文」的對待的名詞，嚴格的講，應該是「韻文」，而不是「詩」。「詩」時常可以用各種的媒介物表現出來，各種藝術裡都可以含著詩，所以有人說過：「圖畫就是無音的詩」，「建築就是凍凝的詩」。在圖畫建築裡面都有詩的位置，在同樣以文字為媒介的散文裡更不消說了。柏拉圖的對話，是散文，但是有的地方也就是詩；陶淵明的「桃花源記」是散文，但是整篇的也就是一首詩。同時號稱為詩的，也許裡面的材料仍是散文。所以詩和散文在形式上劃不出一個分明的界線，倒是散文和韻文可以成為兩個適當的區別。這個區別的所在，便是形式上的不同：「散文」沒有準定的節奏，而「韻文」有規律的音律。

散文對於我們人生的關係，較比韻文為更密切。至少我們要承認，我們天天所說的話都是散文。不過會說話的人不能就成為一個散文家，散文也有散文的藝術。

一切的散文都是一種翻譯。把我們腦筋裡的思想情緒想像譯成語言文字，古人說，言為心聲，其實文也是心聲，頭腦笨的人，說出話來是蠢，寫成散文也是拙劣；富於感情的人，說話固然沉摯，寫成散文必定情致纏綿；思路清晰的人，說話自然有條不紊，寫成散文更能澄清徹底。由此可以類推。散文是沒有一定的格式的，是最自由的，同時也是最不容易處置，因為一個人的人格思想，在散文裡絕無隱飾的可能，提起筆來便把作者的整個的性格纖毫畢現的表示出來。在韻文裡，格式是有一定的，韻法也是有準則的，無論你有沒有什麼高深的詩意，只消按照規律塡湊起來，平平仄仄一東二冬的敷衍上去，看的時候行列整齊，讀的時候聲調鏗鏘，至少在外表上比較容易遮醜。散文便不然，有一個人便有一種散文。喀賴爾（

Calyl）翻譯來辛的作品的時候說：「每人有他自己的文調，就如同他自己的鼻子一般。」伯風（Buffon）說：「文調就是那個人。」

文調的美純粹是作者的性格的流露，所以有一種不可形容的妙處：或如奔濤澎湃，能令人驚心動魄；或是委婉流利，有飄逸之致；或是簡鍊雅潔，如斬釘斷鐵，……總之，散文的妙處眞可說是氣象萬千，變化無窮。我們讀者只有讚嘆的份兒，竟說不出其奧妙之所以然。批評家哈立孫（Frederick Harrison）說：「試讀服爾德、狄孚、綏夫特、高爾斯密，你便可以明白，文字可以做到這種奧妙絕倫的地步，而你並不一定能找出動人的妙處究竟是那一種特質。你若要檢出這一個辭句好，那一個辭句妙，這個或那個字的音樂好聽，使你覺得是雄辯的、抒情的、圖畫的，那麼美妙便立刻就消失了。……」譬如說左傳的文字好，好在那裡？司馬遷的文筆妙，妙在那裡？這眞是很難解說的。

凡是藝術都是人爲的。散文的文調雖是作者內心的流露，其美妙雖是不可捉摸，而散文的藝術仍是作家所不可少的，散文的藝術便是作者的自覺的選擇。弗老貝爾（Flaubert）是散文的作家，他選擇字句的時候是何等的用心！他認定只有一個名詞能夠代表他心中的一件事物，只有一個形容詞能夠描寫他心中的一種特色，只有一個動詞能表示他心中的一個動作。在萬千的辭字之中他要去尋求那一個——只有那一個——合適的字，絕無一字的敷衍將就。他的一篇文字是經過這樣的苦痛的步驟寫成的，所以纔能有純潔無疵的功效。平常人的語言文字只求其能達，藝術的散文要求其能眞實，——對於作者心中的意念眞實。弗老貝爾特別致力於字句的推敲，也不過是要把自己的意念確切的表示出來罷了。至於字的聲音，句的長短，在在都是藝術上所不可忽略的問題。譬如仄聲的字容易表示悲苦的情緒，響亮的聲音容易顯出歡樂的神情，長的句子表示溫和弛緩，短的句子代表強硬急迫的態度，在修辭學的範圍以內，有許多的地方都是散文的藝術家所應當注意的。

散文的美妙多端，然而最高的理想也不過是「簡單」二字而已。簡單就是經過選擇刪芟以後的完美的狀態。普通一般的散文，在藝術上的毛病，大概全是與這個簡單的理想相反的現象。散文的毛病最常犯的無過於下面幾種：㈠太多枝節，㈡太繁冗，㈢太生硬，㈣太粗陋。枝節多了，文章的線索便不清楚，讀者要很費力的追尋文章的旨趣，結果是得不到一個單純的印象。太繁冗，則讀者易於生厭，並且在瑣碎處致力太過，主要的意思反倒不能直訴於讀者。太生硬，則無趣味，不能引人入勝。太粗陋則令人易生反感，令人不願卒讀，並且也失掉純潔的精神。散文的藝術中之最根本的原則，就是「割愛」。一句有趣的俏皮話，若與題旨無關，只得割愛；一段題外的枝節，與全文不生密切的關係，也只得割愛；一個美麗的典故，一個漂亮的字眼，凡是與原意不甚洽合者，都要割愛。散文的美，不在乎你能寫出多少旁徵博引的故事穿插，亦不在多少典麗的辭句，而在能把心中的情思乾乾淨淨的直截了當的表現出來，散文的美，美在適當。

不肯割愛的人，在文章的大體上是要失敗的。

散文的文調應該是活潑的，而不是堆砌的——應該是像一泓流泉那樣的活潑流動。要免除堆砌的毛病，相當的自然是必須要保持的。用字用典要求其美，但是要忌其僻。文字要裝潢，而這種裝潢要成爲有生機的整體之一部，不要成爲從外面粘上去的附屬品。若散文能保持相當的自然，同時也必須顯示作者個人的心情。散文要寫得親切，即要寫得自然。希臘的批評家戴奧尼索斯批評柏拉圖的文調說：

「當他用淺顯簡單的辭句的時候，他的文調是很令人喜歡的。因爲他的文調可以處處看出是光明透亮，好像是最晶瑩的泉水一般，並且特別的確切深妙，他只用平常的字，務求明白，不喜歡勉強粉飾的裝點。他的古典的文字藏著一種古老的斑斕，古香古色充滿字裡行間，顯現一種歡暢的精神，美而有力；好像一陣和風從芬芳的草茵上吹拂過來一般……」

簡單的散文可以美到這個地步，戴奧尼索斯稱讚柏拉圖的話，其實就是他的散文學說，他是標榜「古典主義」反對「亞細亞主義」的。古典主義的散文，就是簡單的散文。

散文絕不僅是歷史哲學及一般學識上的工具。在英國文學裡，「感情的散文」（Impass ionned Prose）雖然是很晚產生的一個型類，而在希臘時代我們該記得那個「高超的朗占諾斯」（The Sublime Longinus）。這一位古遠的批評家說過，散文的功效不僅是訴於理性，對於讀者也是要以情移。感情的滲入，與文調的雅潔，據他說，便是文學的高超性的來由。不過感情的滲入，一方面固然可以救散文生硬冷酷之弊，在另一方面也足以恣肆粗陋的缺點。怎樣纔能得到文學的高超性，這完全要看在文調上有沒有藝術的紀律。先有高超的思想，然後再配上高超的文調，纔是完美。有上帝開天闢地的創作，又有聖經那樣莊嚴簡鍊的文字，所以我們才有空前絕後的聖經文學。高超的文調，一方面是挾有感情的魔力，另一方面是要避免種種卑陋的語氣，和粗俗的辭句。近來寫散文的人，不知是過分要求自然，抑是過分的忽略了藝術，常常的淪於粗陋之一途，無論寫的是什麼樣的題目，類皆出之以嘻笑怒罵，引車賣漿之流的語氣，和村婦罵街的口吻，都成爲散文的正則。像這樣恣肆的文字，裡面有的是感情，但是文調？沒有！

一八 繡枕

凌叔華

【作者】

凌叔華，原名凌瑞棠，筆名叔華。原籍廣東番禺縣，清光緒二十六年（西元一九〇〇年）生於北京官宦名門，民國七十九年（西元一九九〇年）卒，年九十。

凌叔華具有東方典型美人的特質，民國十一年（西元一九二二年），二十二歲，在北平燕京大學研究英國文學。由於她的作品幽深、溫婉、嫻靜、細緻，極富女性溫柔的氣質，被認為是「純粹東方型的溫淑才女」。因此受到當時北大英國文學系名教授陳源（西瀅）先生的賞識，將她的《酒後》發表在他所主編的「現代評論」上，成為她第一篇最具影響力的成名小說。民國十六年（西元一九二七年），他們結了婚，是二十年代後期文壇上受人羨慕的一對。那時，陳源出版了「西瀅閒話」，內容為政事和文學的評論，對社會影響力不小，而凌叔華也寫下了她最重要的小說。

後來，陳源和魯迅展開激烈的筆戰，陳厭惡那無謂的爭端，就放棄了他評論家的地位，重返講堂，任教於武漢大學。這時凌叔華好像也受丈夫影響，作品越來越少。第二次世界大戰後，陳源出任了好幾年中國駐聯合國文教組織的常任代表，他們夫婦就移居英國倫敦。陳源於民國五十九年病逝，凌叔華獨居倫敦寓所；民國七十八年（西元一九八九年），八十九歲，回北京療病，翌年病逝。

凌叔華為現代才女作家，成名于二十世紀的二三十年代；是閨秀派的小說名家，善寫細緻的心靈變化，文筆雅潔清純，作品委婉含蓄，饒有餘味。蘇雪林女士曾把她和英國女作家曼殊斐兒（Katharine Mansfield）相比，認為兩者有許多共同點。作品有短篇小說「花之寺」、「女人」、「小孩」（後改名『小哥兒倆』）及散文集「愛山廬夢影」，還有短篇小說自選集「凌叔華選集」、「凌叔華小說集」等。

【題解】

這篇小說原收在「花之寺」裡，可說是凌叔華的代表作。其主題是在描寫軍閥割據時期，一位小官僚想利用他女兒的善繡，去巴結長官，好攀上兒女親家的關係。女兒挖空心思繡了一對靠枕，送到人家去，沒想到被醉客牌客蹧蹋得只配做踏墊用。不久，那對繡枕就被女僕撿了出去，又把弄髒的地方剪掉，化大為小，變成了枕頂（舊式布枕兩頭另加的方塊）。兩年之後，繡靠枕的小姐仍未結婚，輾轉得到她親手做的繡枕後，瞧見那面目全非的樣子，眞是感慨萬千。

這篇故事的布局有層次，有變化，有伏筆，有高潮，有反襯，結構完整，文筆輕靈活潑，所以篇幅雖短，餘味卻不盡。尤其故事裡，那美麗的靠墊套子和悶熱的天氣相對照，正是女主角內心勞苦的象徵；而那枕套受蹧蹋，又是女主角遭羞辱的象徵。

【本文】

大小姐正在低頭繡一個靠墊，此時天氣悶熱，小巴狗兒只有躺在棹底伸出舌頭喘氣的分兒，蒼蠅熱昏昏的滿玻璃窗打轉，張媽站在背後打扇子，臉上一道一道的汗漬，她不住用手巾擦，可總擦不乾。鼻尖剛才乾了，嘴邊的又點點凸出來。她瞧著她主人的汗雖然沒有她那樣多，可是臉熱的醬紅，白細夏布褂汗濕了一背脊，忍不住說道：

「大小姐，歇會兒，涼快涼快吧。老爺雖說明天得送這靠墊去，可是沒定規早上或晚上呢？」

「他說了明兒早上十二點以前，必得送去才好，不能不趕了，你站過來搧搧。」小姐答完仍舊低頭做活。

張媽走過左邊，打著扇子，眼看著繡的東西，不住的嘖嘖稱嘆：

「我以前聽人家講故事，我總想那上頭長得俊的小姐，也聰明靈巧，必是讀書人信嘴⑴編的，那知道就眞有這樣一個水葱兒似的⑵小姐，還有這一手活計⑶！這鳥繡的眞愛死人！」大小姐嘴邊輕輕的顯露一弧笑窩，但剎那便止。張媽話興不斷，接著說：

「哼，這一對靠枕兒送到白總長那裡，大家看了，別提有多少人來說親呢。門也得擠破了。……聽說白總長的二少爺二十多歲還沒找著合適親事，唔，我懂得老爺的意思，上回算命的告訴太太，今年你是紅鸞星(4)照命主……」

「張媽，少胡扯吧。」大小姐停針打住說，她的臉上微微紅起來。

此時屋內又是很寂靜，只聽見繡花針噗噗的一上一下穿緞子的聲音和拂拂輕微的風響，忽然竹簾外邊有一個十三四歲的女孩子叫道：

「媽，我來了。」

「小妞兒嗎？這樣大熱的天幹什麼？」張媽趕緊問。小妞兒穿著一身毛藍布褲褂，滿頭汗珠，一張窩瓜臉熱得紫脹，此時已經閃身入到簾內房門口邊，只望著大小姐出神。她喘著氣說：

「媽，昨兒四嫂子告訴我，這裡大小姐用了半年工夫繡了一對靠墊，光是那隻鳥已經用了三四十樣線，我不信有這樣顏色。四嫂子說，不信你趕快去看看，過兩天還要送人呢。我今兒吃了飯就進城，媽，我到那邊兒看看行嗎？」

張媽聽完連忙陪笑問：

「大小姐，小妞兒想看看你的活計行嗎？」

大小姐抬頭望望小妞兒，見她的衣服很髒，拿住一條灰色毛巾只擦臉上汗，嘴咧(5)開極闊，露出兩排黃板牙，瞪直了眼望裡看，她不覺皺眉答：

「叫她先出去，等會兒再說吧。」

張媽會意這是因爲嫌她的女兒髒，不願使她看的話，立刻對小妞兒說：

「瞧瞧你鼻子上的汗，還不擦把臉去！我屋裡有洗臉水。大熱天這汗味兒可別薰著大小姐。」

小妞兒臉上顯出非常失望的神情，聽她媽說完還不想走出去。張媽見她不動，很不忍的瞪了她一眼，說：

「去我屋洗臉去吧。我就來。」

小妞兒撇著嘴(6)掀簾出去。大小姐換線時偶爾抬起頭往窗外看，只見小妞兒拿起前襟擦額上的汗，大半衣襟都濕了。院子裡盆栽的石榴吐著火血的花，直照著日光，更叫人覺得暑熱，她低頭看見自己胳肢窩，汗濕了一大片了。

光陰一晃便是兩年，大小姐還在深閨做針線活，小妞兒已經長成和她媽媽一樣粗細，衣服也懂得穿乾淨的了，現在她媽告假回家，她居然能做替工。

夏天夜上，小妞兒正在下房坐近燈邊縫一對枕頭頂兒，忽然聽見大小姐喊她，放下針線，就跑到上房。

她與大小姐搥腿時，便有一搭沒一搭的說閑話：

「大小姐，前天乾媽送我一對很好看的枕頭頂兒」，一邊是一隻翠鳥，一邊是一隻鳳凰。

「怎麼還有繡半隻鳥的嗎？」大小姐似乎取笑她說。

「說起我這對枕頭頂兒，話長哪！咳，爲了它，我還和乾姐姐嘔了回子氣，那本來是王二嫂子給我乾媽的，她說這是從兩個弄髒了大靠墊子上剪下來的。新的時候好看極哪。一個繡的是荷花和翠鳥，那一個是繡的一隻鳳凰站在石山上，頭一天，人家送給她們老爺，就放在客廳的椅子上，當晚便被吃醉了的客人吐髒了一大片；另一個給打牌的人，擠掉在地上，便有人拿來當作踏墊子用，好好的緞地子，滿是泥腳印。少爺看見就叫王二嫂撿了去。乾媽後來就和王二嫂要了來給我，那晚上，我拿回來足足看了好一會子，眞愛死人咧！祇那鳳凰尾巴就用了四十多樣線。那翠鳥的眼睛望著池子裡的小魚兒眞是繡活了，那眼睛眞個發亮，不知用什麼線繡的。」

大小姐聽到這裡忽然心中一動，小妞兒還往下說：

「眞可惜，這樣好看的東西毀了。乾媽前天見了我，教我剪去髒的地方拿來縫一對枕頭頂兒(7)。那知道乾姐姐眞小氣，說我看見乾媽好東西就想法子討了去。」

大小姐沒有理會她們嘔氣的話，卻祇在回想她在前年的夏天曾繡過一對很精細的靠墊——上頭有翠鳥與鳳凰的。那時白天太熱，拿不得針，常常留在晚上繡，完了工，還害了十多天眼病。她想看看比她的怎樣，吩咐小妞兒把那對枕頭頂兒立刻拿來。

小妞兒把枕頂片兒拿來說：

「大小姐你看看，這樣好的黑青雲霞緞的地子都髒了。這鳥聽說從前都是凸出來的，現在已經踏凹了。您看！這鳥的冠子，這鳥的紅嘴，顏色到現在還很鮮亮，王二嫂說翠鳥的眼珠子，從前還有兩顆眞珠子鑲在裡頭，這荷花染污了，都成灰色了。做枕頂兒不著，……這個山石旁還有小花朵兒……」

大小姐只管對著這兩塊繡花片子出神，小妞兒末了說的話，一句聽不清了。她只回憶起她做那鳥冠子曾拆了又繡，足足三次，一次是汗污了嫩黃的線，繡完了發現；一次是配錯了石綠的線，晚上認錯了色；末一次記不清了。那荷花瓣子的嫩粉紅色的線，她洗完手都不敢拿，還得用爽身粉擦了手，再繡，……荷葉太大塊更難繡，用一樣綠色太呆滯⑻，足足配了十二色綠線，……做完那對靠墊以後，送了給白家，不少親戚朋友對她的父母進了許多訣詞，她的閨中女伴，取笑了許多話，她聽到常常自己紅著臉微笑，還有，她夜裡也曾夢到她從來未經歷過的嬌羞傲氣，穿戴著此生未有過的衣飾，許多小姑娘追她看，很羨慕她，許多女伴面上顯出嫉妒顏色。那是種幻境，不久她也懂得，所以她永不願再想起它來撩亂心思。今天卻碰到了，便一一想起來。

小妞兒見她默默不言，直著眼，只管看那枕頂片兒，說：

「大小姐也喜歡它不是？這樣針線活，眞愛死人呢。明兒也照樣繡一對兒不好嗎？」

大小姐沒有聽見小妞兒問的是什麼，只能搖了搖頭算答覆了。

【注釋】

(1)信嘴—隨口、任意的意思。

(2)水葱兒似的—形容細皮嫩肉又聰慧的姑娘。

(3)活計—指女紅。

(4)紅鸞星—星命家所說的喜星。俗話說紅鸞星動，就是指將有喜事。

(5)咧—音ㄌㄧㄝˇ，把嘴唇向左右張，叫咧嘴。
(6)撅著嘴—生氣時翹起嘴唇。撅，音ㄐㄩㄝ。
(7)枕頭頂兒—見題解。
(8)呆滯—猶言呆板。

【結構】

讀完本篇小說，請整理出下列各點：

(一)主旨：（參考題解）
(二)人物：
(三)象徵、反襯筆法的運用。

【討論】

一、文學可以反映時代、社會的觀念和現象，從這篇小說中你領略到什麼？

二、女性的作家通常以細密的心思見長，請以本篇爲例，舉出若干證據加以說明。

三、繡枕的遭遇有何象徵意義？

四、起先小妞兒想進房瞻仰小姐的繡工，小姐嫌她髒而不允許，最後繡枕卻落到小妞兒手裡；作者這樣安排的用意是什麼？

一九　只因爲年輕啊

張曉風

【作者】

張曉風，江蘇省銅山縣人，民國三十年三月二十九日生於浙江金華。民國三十四年　隨父親母親還都南京。民國三十八年　赴廣州準備來臺。民國四十四年　因父親調職，舉家遷居屏東，就讀屏東女中。民國四十七年，考入東吳大學中文系。

東吳大學中文系畢業，曾任教東吳大學、香港浸會學院，陽明醫學院（陽明創校時，她便接受院長韓偉邀請，成為陽明的第一位老師）等，任教時間長達三十八年。寫作以散文創作為主，亦從事新詩、戲劇、雜文、小說、兒童文學等各類作品編創。在創作之外，她亦是個「感性的，且不露聲色的文評家」。

筆名有曉風、桑科、可叵等。作品曾獲得吳三連文學獎、中山文藝獎、國家文藝獎等獎項。當選十大傑出女青年；並獲有香港浸信會大學、青島大學等頒予「榮譽教授」。

余光中讚美張曉風「能寫景也能?事，能詠物也能傳人」；瘂弦也稱讚她是「美文作家」、「以文為詩，以詩為文」。曾自言「把最純粹的美留給散文」的張曉風，其散文造詣與成就，確屬台灣當代之佼佼者。作品有散文集《地毯的那一端》、《從你美麗的流域》、《玉想》等；主編《中華現代文學大系》散文卷、《小說教室》等。

【題解】

本文選自張曉風一九八八年出版的散文集《從你美麗的流域》，原載於民國七十四年六月二十日中國時報「人間」副刊。全文共有六小章節：一愛—恨，二受創，三經濟學的旁聽生，四如果作者是花，五高倍數顯微鏡，六浪擲。本課選錄一、三、五、六篇。

因為年輕，對於人生情感尚少體認、歷練，對於「愛」、「恨」、「漠然」—這些讓年歲已長者百感交集的情感—可以等閒視之、嘻笑以對；對於人生的「短促而多欲」也可無動於衷；或者因為年輕氣盛，而認為「生命」是可一窺究竟、沒有遺憾的。對照作者因年紀漸長、閱歷漸多而生的種種歎惋，這般不識愁滋味的「年輕」，令作者不禁有所感慨。

【本文】

一　愛——恨

小說課上，正講著小說，我停下來發問：

「愛的反面是什麼？」

「恨！」

大約因為對答案很有把握，他們回答得很快而且大聲，神情明亮愉悅，此刻如果教室外面走過一個不懂中國話的老外，隨他猜一百次也猜不出他們唱歌般快樂的聲音竟在說一個「恨」字。

我環顧教室，心裡浩嘆(1)，只因為年輕啊，只因為太年輕啊，我放下書，說：

「這樣說吧，譬如說你現在正談戀愛，然後呢？就分手了，過了五十年，你七十歲了，有一天，黃昏散步，冤家路窄(2)，你們又碰到一起了。這時候，對方定定(3)的看著你說：

『×××，我恨你！』

如果情節是這樣的，那麼，你應該慶幸，居然被別人痛恨了半個世紀，恨也是一種很容易疲倦的情感，要有人恨你五十年也不簡單，怕就怕在當時你走過去說：

『×××，還認得我嗎？』

對方愣愣⑷的呆望著你說：

『啊，有點面熟，你貴姓？』」

全班學生都笑起來，大概想像中那場面太滑稽⑸太尷尬⑹吧？

「所以說，愛的反面不是恨，是漠然⑺。」

笑罷的學生能聽得進結論嗎？——只因為太年輕啊，愛和恨是那麼容易說得清楚的一個字嗎？

三　經濟學⑻的旁聽生

「什麼是經濟學呢？」他站在臺上，戴眼鏡、灰西裝、聲音平靜，典型的中年學者。

臺下坐的是大學一年級的學生，而我，是置身在這二百人大教室裏偷偷旁聽的一個。

從一開學我就昂奮⑼起來，因為在課表上看見要開一門「社會科學⑽概論」的課程，包括四位教授來設「政治⑾」、「法律」、「經濟」、「人類學⑿」四個講座。想起可以重新做學生，去聽一門門對我而言嶄新的知識，那份喜悅真是掩不住藏不嚴，一個人坐在研究室裡都忍不住要輕輕的笑起來。

「經濟學就是把『有限資源』做『最適當的安排』，以得到『最好的效果』。」臺下的學生沙沙的抄著筆記。

「經濟學為什麼發生呢？因為資源『稀少』。不單物質『稀少』，時間也『稀少』，——而『稀少』又是為什麼？因為，相對於『欲望』，一切就顯得『稀少』了……」

原來是想在四門課裡跳過經濟學不聽的，因為覺得討論物質的東西大概無甚可觀，沒想到一走進教室來竟聽到這一番解釋。

「你以為什麼是經濟學呢？一個學生要考試，時間不夠了，書該怎麼唸？這就叫經濟學啊！」

我楞在那裡反覆想著他那句「為什麼有經濟學——因為稀少——為什麼稀少，因為欲望」而痲顫驚動⒀，如同山間頑崖愚壁偶聞大師說法，不免震動到石骨土髓格格作響的過程。原來整場生命也可作經濟學來看，生命也是如此短小稀少啊！而人的不幸卻在於那顆永遠渴切不止的有所索求，有所躍動，有所未足的心，為什麼是這樣的呢？為什麼竟是這樣的呢？我痴坐著，任淚下如痲不敢去動它，不敢讓身旁年輕的助教看到，不敢讓大一年輕的孩子看到。奇怪，為什麼他們都不流淚呢？只因為年輕嗎？因年輕就看不出生命如果像戲，也只能像一場短短的獨幕劇⒁嗎？

「朝如青絲暮成雪」⒂，乍起乍落的一朝一暮又何嘗真有少年與壯年之分？「急罰盞，夜闌燈滅」⒃，匆匆如赴一場喧嘩夜宴的人生，又豈有早到晚到早走晚走的分別？然而他們不悲傷，他們在低頭記筆記。聽經濟學聽到哭起來，這話如果是別人講給我聽的，我大概會大笑，笑人家的濫情⒄，可是……

『所以，』經濟學教授又說話了，「有位文學家卡萊亞這樣形容：經濟學是門『憂鬱的科學』⒅……」

我疑惑起來，這教授到底是因有心而前來說法的長者，還是以無心來渡脫的異人？至於滿堂的學生正襟危坐⒆是因歲月尚早，早如揭衣初涉水的淺溪，所以才凝然無動⒇嗎？為什麼五月山梔子的香馥裡，獨獨旁聽經濟學的我為這被一語道破的短促而多欲的一生而又驚又痛淚如雨下呢？

五　高倍數顯微鏡

他是一個生物系的老教授，外國人，我認識他的時候他已經退休了。

「小時候，父親是醫生，他看病，我就站在他旁邊，他說：『孩子，你過來，這是那一塊骨頭？』我就立刻說出名字來……」

我喜歡聽老年人說自己幼小時候的事，人到老年還不能忘的記憶，大約有點像太湖(21)底下撈起的石頭，是洗淨塵泥後的硬瘦剔透，上面附著一生歲月所沖積洗刷出的浪痕。

這人大概注定要當生物學家的。

「少年時候，喜歡看顯微鏡，因為那裡面有一片神奇隱密的世界，但是看到最細微的地方就看不清楚了，心裡不免想，趕快做出高倍數的新式顯微鏡吧，讓我看得更清楚，讓我對細枝末節了解得更透澈，這樣，我就會對生命的原質明白得更多，我的疑難就會消失……」

「後來呢？」

「後來，果然顯微鏡愈做愈好，我們能看清楚的東西，愈來愈多，可是……」

「可是什麼？」

「可是我並沒有成為我自己所預期的『更明白生命真相的人』，糟糕的是比以前更不明白了，以前的顯微倍數不夠，有些東西根本沒發現，所以不知道那裡隱藏了另一段秘密，但現在，我看得愈細，知道的愈多，愈不明白了，原來在奧秘的後面還連著另一串奧秘……」

我看著他清癯(22)漸消的頰和清灼明亮的眼睛，知道他是終於「認了」，半世紀以前，那意氣風發的少年以為只要一架高倍數的顯微鏡，生命的秘密便迎刃可解，什麼使他敢生出那番狂想呢？只因為年輕吧？只因為年輕吧？而退休後，在校園的行道樹下看花開花謝的他終於低眉(22)而笑，以近乎撒賴的口氣說：

沒有辦法啊，高倍數的顯微鏡也沒有辦法啊，在你想盡辦法以為可以看到更多東西的時候，生命總還留下一段奧秘，是你想不通猜不透的……」

六　浪擲(24)

開學的時候，我要他們把自己形容一下，因為我是他們的導師，想多知道他們一點。大一的孩子，新從成功嶺(25)下來，從某一點上看來，也只像高四罷了，他們倒是很合作，一個一個把自己盡其所能的描述了一番。

等他們說完了，我忽然覺得驚訝不可置信，他們中間照我來看分成兩類，有一類說「我從前愛玩，不太用功，從現在說，我想要好好讀點書」，另一類說「我從前就只知道讀書，從現在起我要好好參加些社團，或者去郊遊。」

奇怪的是，兩者都有輕微的追悔和遺憾。

我於是想起一段三十多年前的舊事，那時流行一首電影插曲(大約是叫漁光曲吧)，阿姨舅舅都熱心播唱，我雖小，聽到「月兒彎彎照九州(26)」覺得是可以同意的，卻對其中另一句大為疑惑。

「舅舅，為什為要唱『小妹妹青春水裡流(或「丟」？不記得了)』呢？」

「因為她是漁家女嘛，漁家女打魚不能去上學，當然就浪費青春啦！」

我當時只知道自己心裡立刻不服氣起來，但因年紀太小，不會說理由，不知怎麼吵，只好不說話，但心中那股不服倒也可怕，可以埋藏三十多年。

等讀中學聽到「春色惱人」(27)，又不死心去問，春天這麼好，為什麼反而好到令人生惱？別人也答不上來，那討厭的甚至眨眨狎邪(28)的眼光，暗示春天給人的惱和「性」有關。但事情一定不是這樣的，一定另有一個道理，那道理我隱約知道，卻說不出來。

更大以後，讀浮士德(29)，那些埋藏許久的問句都攏過來，我隱隱知道那裡有一番解釋了。

年老的浮士德，坐對滿屋子自己做了一生的學問，在典籍冊頁的陰影中他乍乍(30)瞥見窗外的四月，歌聲傳來，是慶祝復活節(31)的喧嘩隊伍。那一霎間，他懊悔了，他覺得自己的一生都抛擲了，他以為只要再讓他年輕一次，一切都會改觀。中國元雜劇裡老旦上場照例都要說一句「花有重開日，人無再少年」，(說得淡然而確定，也不知看劇的人驚不驚動)，而浮士德卻以靈魂押注，換來第二度的少年以及因少年才「可能擁有的種種可能」。可憐的浮士德，學究天人(32)，卻不知道生命是一樁太好的東西，好到你無論選擇什麼方式渡過，都像是一種浪費。

生命有如一枚神話世界裡的珍珠，出於砂礫，歸於砂礫，晶光瑩潤的只是中間這一段短短的幻象啊！然而，使我們顛之倒之甘之苦之的不正是這短短的一段嗎？珍珠和生命還有另一個類同之處，那就是你傾家蕩產去買一粒珍珠是可以的，但反過來你要拿珍珠換衣換食卻是荒謬的，就連鑲成珠墜掛在美人胸前也是無奈的，無非使兩者合作一場

「慢動作的人老珠黃」罷了。珍珠只是它圓燦含彩的自己，你只能束手無策的看著它，你只能歡喜或喟然(33)—因為你及時趕上了它出於砂礫且必然還原為砂礫之間的這一段燦然。

而浮士德不知道——或者執意不知道，他要的是另一次「可能」，像一個不知是由於技術不好或是運氣不好的賭徒，總以為只要再讓他玩一盤，他準能翻本。三十多年前想跟舅舅辯的一句話我現在終於懂得該怎麼說了，打漁的女子如果算是浪擲青春的話，挑柴的女子豈不也是嗎？讀書的名義雖好聽，而令人眼目為之昏眊(34)，脊骨為之佝僂(35)，還不該算是青春的虛擲嗎？此外，一場刻骨的愛情就不算煙雲過眼嗎？一番功名利祿就不算滾滾塵埃嗎？不是啊，青春太好，好到你無論怎麼過都覺浪擲，回頭一看，都要生悔。

「春色惱人」那句話現在也懂了。世上的事最不怕的應該就是「兵來有將可擋，水來以土能掩」，只要有對策就不怕對方出招。怕就怕在一個人正小小心心的和現實生活鬥陣，打成平手之際，忽然陣外冒出一個叫宇宙大化的對手，他斜裡殺出一記叫「春天」的絕招，身為人類的我們真是措手不及。對著排天倒海而來的桃紅柳綠，對著蝕骨的花香，奪魂的陽光，生命的豪奢絕豔怎能不令我們張皇無措？當此之際，真是不做什麼既要懊悔——做了什麼也要懊悔。春色之叫人氣惱跺腳，就是氣我們無招以對啊！

回頭來想我導師班上的學生，聰明穎悟，卻不免一半為自己的用功後悔，一半為自己的愛玩後悔——只因為年輕啊，只因太年輕啊，以為只要換一個方式，一切就扭轉過來而無憾了。孩子們，不是啊，真的不是這樣的！生命太完美，青春太完美，甚至連一場匆匆的春天都太完美，完美到像喜慶節日裡一個孩子手上的氣球，飛了會哭，破了會哭，就連一日日空癟下去也是要令人哀哭的啊！

所以，年輕的孩子，連這麼簡單的道理你難道也看不出來嗎？生命是一個大債主，我們怎麼混都是他的積欠戶。既然如此，乾脆寬下心來，來個「債多不愁」吧！既然青春是一場「無論做什麼都覺是浪擲」的憾意，何不反過來想想，那麼，也幾乎等於「無論誠懇的做了什麼都不必言悔」，因為你或讀書或玩，或作戰，或打漁，恰恰好就是另一個人嘆氣說他遺憾沒做成的。

——然而，是這樣的嗎？不是這樣的嗎？在生命的面前我可以大發職業病做一個把別人都看作孩子的教師嗎？抑或我仍然只是一個太年輕的蒙童(36)，一個不信不服欲有所辯而又語焉不詳的蒙童呢？

【注釋】

(1)浩嘆：浩，大。非常感歎。

(2)冤家路窄：形容仇敵或不想見到的人卻偏偏碰見。

(3)定定：盯住，直視。

(4)愣愣：呆傻的樣子。

(5)滑稽：言語舉動讓人覺得好笑。

(6)尷尬：難為情，不好意思。

(7)漠然：冷淡、無所謂、不在意的樣子。

(8)經濟學：研究以最有效的方法將資源做最佳配置，以求個人、社會、國家最大福利的學問。

(9)昂奮：高昂興奮。

(10)社會科學：以社會現象、社會文化等與社會相關內容為探討課題的科學研究。

(11)政治：治理國家人民等一切活動的總稱。

(12)人類學：研究人類及其文化等。可分為體質人類學、考古學、文化人類學、語言學等。

(13)麻顫驚動：比喻情緒激動、感受深刻。

(14)獨幕劇：one act play，指劇情在一幕內完成的小型戲劇。

(15)朝如青絲暮成雪：唐李白〈將進酒〉詩文。形容人生轉眼即黑髮變白髮、年輕而老邁。

(16)急罰盞，夜闌燈滅：元馬致遠〈雙調夜行船〉。盞，小而淺的杯子。罰盞，行酒令，依規定吟詩、接句，輸者罰喝酒。夜闌，夜深。意謂趕緊喝酒玩樂，否則夜深就得熄燈休息無法享樂了。勸人要及時行樂之意。

(17)濫情：情感過於豐富、不知節制。

(18)憂鬱的科學：歷史學家卡萊爾(Thomas Carlyle 1795 -1881)在十九世紀稱呼經濟學者為「憂鬱的科學家」。

(19)正襟危坐：認真嚴肅。

(20)凝然無動：不為所動，無所謂。

(21)太湖：位於江蘇省南部，跨蘇州、無錫兩市，是我國第三大湖。太湖及沿湖山脈為主的太湖風景區共有七十多個著名景點，以湖光山色、吳越史迹而聞名。

(22)清癯：清瘦，瘦弱。

(22)低眉：祥和謙遜。

(24)浪擲：浪費虛擲。

(25)成功嶺：位於台中，現為全國最大的新兵訓練中心。民國八十八年前，大專男生寒暑假時要上成功嶺「寒訓」或「暑訓」二十八天。大學四年內一定要去一次，這28天可以折抵日後服兵役時的役期。民國八十八年後已廢除。

(26)九州：中國的代稱。

(27)春色惱人：王安石〈春夜〉：「春色惱人眠不得」。

(28)狹邪：輕浮放蕩。

(29)浮士德：《Faust》，德國作家歌德(Johann Wolfgang von Goethe,1749-1832)耗時六十二年才完成的巨著。

(30)乍乍：突然間。

(31)復活節：為紀念耶穌基督被釘上十字架後復活的神蹟所定，每年春分月圓後第一個星期日。

(32)學究天人：學問能貫通天理與人事。形容學問淵博。

(33)喟然：感嘆。

(34)眊：ㄇㄠˋ，眼睛無神、昏花。

(35)佝僂：ㄎㄡˋ ㄌㄡˊ，背脊彎曲的樣子。

(36)蒙童：蒙昧無知的孩童。

【問題與討論】

一、為何作者說「愛的反面不是恨，是漠然」？

二、請將「短促而多欲」的人生與「無論做什麼都覺是浪擲」及「無論誠懇的做了什麼都不必言悔」兩種人生觀配合討論，並以之說明您會如何面對「短促而多欲的人生」？

三、請說明讀完本課後，您對於「年輕」及「年長」的差異有何觀感。

二〇　消失在鏡中的兒子

顏崑陽

【作者】

顏崑陽，臺灣嘉義人，民國三十七年（一九四八年十一月一日）生。國立台灣師範大學國文研究所博士。曾任國立東華大學中國語文學系教授兼人文社會科學學院院長，現任淡江大學中國文學系教授。他是學者，也是作家。學術研究以中國古典美學、文學理論、老莊哲學、詩詞學為主。創作則擅長古典詩、現代小說、散文。曾獲時報文學獎散文優等、聯合報短篇小說獎佳作、中興文藝古典詩創作獎章、中國文藝散文創作獎章。顏崑陽散文風格多變，早期偏重浪漫唯美，能以清麗之語言書寫個人之心靈經驗；至〈傳燈者〉出，筆觸由個人抒情轉向探索、反省、批判外在世界；到〈想辭〉、〈手拿奶瓶的男人〉等，更開拓了人際倫理的題材，風格轉向樸實醇厚。近期之作，其實驗性轉濃，結合夢境與寓言筆法，使其作品更賦新意，題材偏重於社會現象的觀察，其對扭曲人性與荒謬人生的描述與批判，更加發人省思。著有《顏崑陽古典詩集》、短篇小說集《龍欣之死》、現代散文集《秋風之外》、《手拿奶瓶的男人》、《智慧就是太陽》、《上帝也得打卡》、《聖誕老人與虎姑婆》等，以及學術論著《莊子藝術精神析論》、《李商隱詩箋釋方法論》等約二十餘種。

【題解】

〈消失在鏡中的兒子〉一文，一九九九年九月十四日發表於《聯合報》副刊，其後選錄於焦桐主編《八十八年散文選》（九歌出版社）、廖玉惠等人合編之《繁花盛景：台灣當代文學新選》（正中書局）。作者藉由父親眼見兒子在大飯店迴廊的鏡子中消失的驚慌，來凸顯現代人的焦慮問題；從焦慮的緣由、社會變遷的因素，以及兩代間永恆不變的親情與不一樣的焦慮來源等問題，進行詳實且具體的探討。作者藉由往日以對照今日的方式，點出從前那個只要努力勞動、無須操心擔憂的貧窮年代，與當今富足生活下，反倒是被焦慮盤據心靈的不安，進行強烈的對比，實在引人深思。俗話說：「養兒方知父母恩。」作者身兼人父與人子的雙重角色，在希望兒子能夠「平安長大」的期望下，更能感受到年邁的父母親引頸期盼兒子早歸的心情。

作者寫作本文的特色，除了以「今昔」對照外，更以夢境來襯托事實，以鏡中返照鏡外，使其在虛實交錯中，凸顯出真假難辨之奧妙。向陽分析顏崑陽之散文時說：「作為一個沉潛於莊子之道，而又對都市文明和現代人性瞭若指掌的學者，他的散文也展現了莊子思想的洞見與宏觀，間以寓言體式的靈活運用，使他的散文世界結構森然、文氣沉鬱厚重。」此外，〈消失在鏡中的兒子〉及其後之〈窺夢人〉（二〇〇〇年四月二十七日發表於《聯合報》副刊，榮獲九歌八十九年度散文獎。文本參見附錄）這兩篇散文，前者寫亂世裡的焦慮症，後者針對社會的偷窺慾，都是針對荒謬的現代文明及人性的省思與批判。

【本文】

1

吾兒，在我不斷地呼喚中，頭都沒回，走向一條深邃的廊道，而終於消失了。

我確知這不是夢。此刻，午間十一時三十二分，我就站在一家大飯店迴廊的轉角處。而吾兒卻消失了，在我的呼喚中。

我成為一個焦慮⑴的父親，陷入霧如堆棉的雨林，每塊棉絮之間都有一隻眼睛，如虎如豹如熊如狼如狐如蛇。而崎嶇的小路，像身軀上密布的血管。吾兒，你在哪裡？

吾兒兩歲那一年，某日，在兒童遊樂場，一個大池子，裝滿紅黃藍綠各色的塑膠球，讓孩子站到球堆上，體驗著緩緩沉陷的感覺。每顆球都像張得圓圓的嘴巴，從腳掌開始，爭相吞噬著稚弱的孩子。吾兒，竟爾驚慌地大哭起來。妻迅即將他抱出，緊緊摟在懷中，彷彿生怕他就此消失掉！

「這，吃人的遊戲呀！」妻說。

第二天清晨，妻把我搖醒，告訴我，她作了一個夢，夢見吾兒闖入一條地面上牆壁間到處張著圓圓嘴巴的街道。她在後面拚命追趕，卻怎麼也追不上，最後只是眼睜睜地瞪著吾兒被千千萬萬個嘴巴吞沒了。我看到一個焦慮的母親，在這世紀末城市的一幢公寓裡的床邊，緊緊盯視著熟睡如天使的孩子，恍若孩子會在她眼前化成空氣而消失。

「孩子，只要你平安長大！」妻輕撫著吾兒飽滿的額頭。

此刻，我成為一個焦慮的父親。吾兒，果真在我的呼喚中消失了嗎？這世紀末的城市裡，究竟有多少個焦慮的父親們，唔！還有母親們，同樣在這時候，佇立於各個角落裡，呼喚著恐將從眼前消失的孩子！

「孩子，只要你平安長大！」我聽到不分語言、不分國界，同聲的祈禱。

2

曾經，我也是讓吾父母焦慮著的「吾兒」。即使如今，我已成為一個焦慮著吾兒的父親；但是在他們的心目中，我依然是讓他們焦慮著的「吾兒」。

他們已衰老，但「焦慮」並沒有隨之衰老。只要有「愛」與「危險」，「焦慮」便是心田上焚燒不盡的亂草。

他們閟居在一幢老舊的公寓，等待著讓他們焦慮的兒子來探視。或許，為兒子焦慮，讓他們在衰老、冷寂的歲月中，還能感覺自己的存在吧！又或許，「焦慮」是這世紀末流行的「心靈瘟疫」⑵，它正隨著「愛」與「危險」之等量增長而不斷擴散，無人得以免疫。

有一次，我比往常探視他們的時間晚到一個多鐘頭。走到公寓前，仰頭，我便看到三樓昏暗的陽台燈下，浮動著兩張衰老的臉孔，網狀的防盜鐵窗，粗黑的線條分割了他們完整的面目。他們頻仍地俯望，想是在搜尋巷子裡來來往往的行人，會不會突然出現他們兒子的身影。焦慮的目光彷彿可以穿透層層夜幕，化成懸掛在陽台上的四盞燈，指引著他們兒子的來臨。

他們終於看到兒子了，焦慮隨之消散在夜空中。

「這時代不比從前了，壞人很多！」我一進門，他們便這樣說。

這時代不比從前！「焦慮」真的是這世紀末流行的「心靈瘟疫」麼！連已經閱盡滄桑的老者也受到感染！

在夜色中，公寓是一座懸浮的島嶼。透過窗子，我們看到的只是自己的孤絕。他們又回身坐到電視機前。電視機虛幻的聲影之外，是一排日日等待消渴的盆栽，兩棵孤挺花，今夏不知何故竟拒絕開放。再往外，便只能聽到嘈雜的聲浪，那是一座每分鐘都不確定會發生什麼事故的城市。

從電視裡，他們看到這個世紀末的社會，每日都有讓人驚怖的消息。諸如在城市某個角落的空屋裡，或在郊區某處草叢中，被發現肢解或燒焦的無名屍體。至於有蒙面惡客在大白天向百貨公司瘋狂掃射，或什麼綁票、搶劫、縱火……，那都已不夠新聞了。

他們害怕會從電視中，突然看到自己的兒子嗎？雖然他們的兒子早已長大，其實是用不著擔心。但是，「這時代不比從前了」！

3

在更早的記憶裡，很少父母會經常焦慮孩子從眼前消失掉。「天生地養，只要不生病，有飯吃，怕什麼？」他們都這樣說。

那時候，父親還很年輕，卻不像現在這麼焦慮。他經常坐在不遠的籬邊，斜戴斗笠，低頭專注地補綴著破網。大多時候，他像一尊沉默的雕像，透過懸張的漁網，可以看到他略俯的臉孔，被網目分割成許許多多碎片，因而顯得模糊不清，也無從窺知他的表情。偶爾，他會哼著很東洋風味的歌曲，調子有些淡淡的哀傷。但這時候，他應該快樂的吧！我們猜想。

父親一向沉默如石。從小，我們就難以測知他的心情。在記憶裡，只有當孩子們生病或漁、耕歉收而三餐不繼時，他才偶露焦慮的神色。而我們也只有在病痛與餓肚子的時候，才覺得需要父親。

那時年代，父親，甚至於母親，並不經常在孩子身邊。他們的背影或側影，大多時候遠遠地落在田地裡、漁船上、豬圈旁、廚房中、稻埕(3)邊……。姿勢或蹲或站，或腰彎或低頭，或挑擔或揮鋤或撒網，但很少是坐著或躺著。

他們只要工作就行了，從不必疑問：孩子會不見了嗎？那時候，家家戶戶都畜養著雞鴨。早上，雞舍門打開。牠們歡悅地往田野間去覓食。傍晚，又都回舍棲息。沒有人疑問：雞鴨會不見了嗎？

我們就像一群野放的雞鴨。天亮，喝兩碗稀飯，嚼幾片醬菜，就出門了。整個村莊是一座沒有圍牆的庭園，到哪裡去都不必擔心有壞人，甚至父母親從未告訴我們「壞人」這個東西，除了傳說中的虎姑婆。有關壞人的樣子，我們是從布袋戲和歌仔戲才弄明白的。他們大都是青面獠牙(4)；但我們在村子裡，卻從未碰見這種長相的人。

我們有好多地方可以隨意去玩。通常在王爺廟的大殿裡打彈珠或尪仔標，有時候在寬闊的稻埕上賽陀螺，在木麻黃樹蔭下鬥蟋蟀……。誰在乎整天聽不到父親的吆喝？累了，草堆旁、樹蔭下，隨處都可以睡個覺。傍晚，總會有大人來拎著我們回家吃飯。似乎，沒有誰需要疑問：孩子會不見了嗎？

那時候，我們很貧窮，所擁有的東西並不多。日常見到的車輛，就只有少數的牛車、客運巴士或貨卡。全村兩台收音機，一台屬於富而驕傲的村長；一台屬於心廣體胖的雜貨店老闆。年輕的父親就經常在白日忙過了之後，提著一把圓凳，和好些村民聚坐在雜貨店門口，興滋滋地諦聽⑸著各種廣播節目。這時候的父親，顯得安閒而愉悅。

從這個長方形、黑褐色、發著聲音的箱子，他們通往一個眼睛看不到的世界。其實，在那裡，除了有趣而古老的故事，一切還是那麼單純，就像眼前的生活，極少有教人驚怖的事情發生。

當時，他們再怎麼會夢想，也不曾夢想過，可以從一種名叫「電視」的箱子，看到全世界的影像，而世界竟然如此的複雜而難以預料。

如今回想起來，「單純」並沒有什麼不好。我們擁有的雖然不多，但至少卻有「每一個確定的明日」。

那時候，只有「勞苦」的父母親，很少有「焦慮」的父母親。誰都不必憂心；孩子會突然不見了！

4

吾兒，在我不斷地呼喚中，頭都沒回，走向一條深邃的廊道，而終於消失了。

我站在一家大飯店迴廊的轉角處，確知這不是夢。而外面是一個複雜而什麼都不確定的世紀末城市。吾兒，究竟去了哪裡？

在這城市中，我們從不敢奢想，孩子可以像野放的雞鴨，早出必然能夠晚歸。在孩子很小的時候，就得教導他：怎樣辨識壞人？

「壞人都長得像《星際大戰》中的達斯魔那麼凶惡嗎？」

「不，很多長得比爸爸還帥哩！」

壞人並非長得像戲裡惡魔那般青面獠牙，甚至很多比爸爸還帥。他們有的在街上走，有的在校門口徘徊，有的坐在公車上，有的住在鄰居，甚至有的經常進出家裡，和我們一塊兒吃飯、看電視、聊天。這，就難以分辨了。連好人與壞人都無從確定，我們能有什麼辦法讓孩子遠離危險？

城市是水氣的凝結或波光的倒影，絢爛(6)而不真實，時時刻刻都在幻變甚至消失。而四分五岔的街道，每一條都可能是歧途。

我們就在這樣的空間裡，和許多陌生而好壞難辨的人一起搭車，一起在餐廳吃飯，一起在黑暗的戲院裡看電影，一起在游泳池中覬覦(7)著對方幾近赤裸的肉體，一起擠在窄小的電梯間內感受彼此溫暖的呼吸……。在這樣靠近卻又陌生的人群中，到處都是眼睛、嘴巴與手爪；他們從難以防衛的角度，企圖窺視、吞噬與攫取。

吾兒，他像是一隻不認識野狼的幼兔，天真地蹦跳在叢林裡，卻沒有警覺到處都是眼睛、嘴巴與手爪。

每當電視或報紙又出現被綁票而遭殺害的孩子，我就彷彿看到在這世紀末城市中的每個角落，千千萬萬個焦慮的父母親，同聲祈禱：

「孩子，只要你平安長大！」

我又彷彿看到，千千萬萬隻眼睛盯著一個個天真地蹦蹦跳跳的孩子，絕不許他們瞬間離開視線。

「焦慮」真的是這世紀末流行的「心靈瘟疫」，但它卻不由於病毒或細菌的感染。人類將以腐敗的靈魂懲罰他自己。

假如人生如戲，我希望這一切只是「戲」而已。《楚門的世界》，其實是一座巨大無比的攝影棚。人們在電視上看到的只是一場一場被導演出來的生活戲碼。天空是假的、海水是假的，四季、晝夜是假的。好人是假的，壞人也是假的……。台灣，就像楚門所住的那個島嗎？其實也是一座巨大無比的攝影棚嗎？在這裡所發生的一切，不管最好或最壞的，讓你狂喜或悲痛的，都只是假的嗎？

楚門終究逃出攝影棚，才發現自己過了半輩子被人虛構的生活。然而，攝影棚外的世界會更真實嗎?我們也逃得出台灣這座巨大的攝影棚而證實這一切都只是戲嗎?但是,攝影棚外的世界會更真實嗎?當攝影棚已大到包裹了整顆地球,戲與非戲,虛構與真實,又何從分辨呢?

然而,我仍然希望,這一場一場的「心靈瘟疫」,真的只是「戲」而已。

5

吾兒,在我不斷地呼喚中,頭都沒回,走向一條深邃的廊道,而終於消失了。

我確知這不是夢,在迴廊的轉角處怔忡(8)了半晌,立即焦慮地向吾兒消失的方向追奔過去,卻意外地撞上一面鏡牆!它明亮到那麼的不真實。吾兒,就消失在這虛幻的鏡中世界嗎?

我由焦慮而驚惶,回身,才看見吾兒正站在廊道的另一端,微笑地向我招手。他的背後是落地窗,窗外是一座複雜而每分鐘都不確定會發生什麼事故的世紀末城市。我無從知道,它會比另一端的鏡中世界更真實嗎?

（一九九九年九月）

【注釋】

(1)焦慮：指心裡苦思憂慮。
(2)瘟疫：為一切經由病毒或細菌感染之急性傳染病的總稱，如傷風、霍亂等。
(3)稻埕：指曬稻穀的廣場。埕，音ㄔㄥˊ。
(4)青面獠牙：形容面貌猙獰可怖。獠，音ㄌㄠˊ。
(5)諦聽：指專注的傾聽。諦，音ㄉㄧˋ。
(6)絢爛：指光彩奪目的樣子。絢，音ㄒㄩㄢˋ。
(7)覬覦：非分的希望。覬，音ㄐㄧˋ。覦，音ㄩˊ。
(8)怔忡：怔，音ㄓㄥ，一名「心悸」。是一種因為憂鬱過度而心神不定的病狀。忡，音ㄔㄨㄥ，動詞，憂慮。

【問題與討論】

一、請問顏崑陽〈消失在鏡中的兒子〉一文的寫作特色？
二、請問「焦慮」為何會成為世紀末的「心靈瘟疫」？

三、從〈消失在鏡中的兒子〉中，作者如何運用「今昔對比」的技巧，點出這世紀末流行「心靈瘟疫」現象？

四、請舉證說明：為什麼只要有「愛」與「危險」，人就無法免除「焦慮」所造成的「心靈瘟疫」？

【附錄】

豐子窺夢人

顏崑陽

1

我認識「窺夢人」，這是真的。

我並不打算寫一篇純屬虛構的小說，也不預備向你講個查無此事的寓言。我想告訴你的，都是平常發生在你我身邊的事。

這些事，全是真的。或許，你不相信，硬說是假的。恐怕我們免不了要爭辯起來，但是語言最靠不住了，人們從未曾拿它弄清過任何真相呀！還不相信嗎？那麼，我們就活在快被如浪的語言溺斃的世界，誰又確實弄明白過，那些每天口沫橫飛的人，背地裡想的是什麼，幹的又是什麼！

這世界，任何一件事都只能各說各話，「真相」就讓「自以為是」的人去相信吧！假如，這世界果然事事都有真相，許多人將無法活下去。坦白承認吧！我們之所以還能放心地吃飯睡覺，完全是因為這世界不會真正的透明。

那麼，我說我真的認識「窺夢人」，你根本無需與我爭辯，就當我在「痴人說夢」也罷；這世界向來是真假難辨，因此聰明的人都學會沉默。

2

我們都喊他為「窺夢人」，至於「窺夢人」的姓名，竟已被遺忘而不可考。問他，他有時一手指天一手指地，沉默而不答；有時則隨便胡謅一個姓名給你，什麼「孔仲尼」、什麼「馬基督」、什麼「牛七刀」、什麼「李王八」……，然後反問：「你非姓×不可嗎？」

「窺夢人」究竟從那兒來？有沒有父母兄弟、妻妾兒女？也同樣一片空白。曾經有人費了不少工夫，從各種管道調查他的身世，卻空白還是空白，就像一口不知隱藏何物的黑箱。他一向不回答任何有關他的問題，只是笑笑地重複二句誰都聽不懂的話：

每個生命都是一口黑箱，而且必須是一口黑箱。

這句話，我開始也同樣聽不懂。後來，因為幾個朋友的生命如黑箱被揭開蓋子而死亡，甚至「窺夢人」也在娶了妻子之後，由於某個與生命黑箱有關的事故而自戕，我才如禪修之頓悟。真的，對任何生命而言，「幽暗」都是一種「必要」，被曝露在陽光下而裡外透明的生命，都將在他人炯然的注視中枯萎。

對於「窺夢人」之死，我沒有悲傷，那不僅因為他並非我的親人或相交莫逆的朋友，更因為他只有死亡，才能驗證自己所說的至理名言：「每個生命都是一口黑箱，而且必須是一口黑箱」。這就讓人覺得，他的死亡有些滑稽，而滑稽之中又有些淚水悄悄地淌了下來。

從他身上，我們看到人生恍然是一場如真似假而哭笑不得的遊戲。

3

我之遇見「窺夢人」，起始就弄不清究竟是真實或幻夢。

某個下雪的傍晚，我走進一間荒敗的澡堂，它的板壁朽壞而破了幾個大洞，從右前方的一處洞口，可以看到遠方積雪的山坳間，有一座紅瓦的寺廟。寬大的澡池裡，貯滿乳白色的浴場，但卻空無一人。池面氤氳的水氣，飄浮如輕盈的棉絮。

我赤裸著身子，斜靠池邊，坐進浴場裡。熱騰騰的水溫，彷彿千萬隻手搔抓著靈敏的皮膚，我感覺到胯間有物暴脹。這時候，澡池中央，忽然冒出一顆光頭，接著便看到雙峰堅挺的乳房，是個姣好的尼姑！她嘴角燦著微笑，像一條肥腴的錦鯉向我游了過來。

忽然，我看見板壁的破洞間，露出一張非常蒼白的臉龐，圓睜睜的兩隻眼睛，沒有瞳仁，好似煮熟的魚目。我驚嚇地「啊」了一聲。

妻就躺在我身邊，和我一樣赤裸著身子，頭髮卻披散在籐枕上。她的臉色略顯酡紅，睜大眼睛注視著我，「做夢了！」她說。

我沒有告訴她關於澡池裡裸尼的事。她是個虔誠的佛教徒，準會呵責我如此的褻瀆。假如，我和她爭辯，只不過是個夢而已，怎麼能夠當真。然而，在情欲與宗教上嚴重冒犯到她的這樣一個夢，她絕不會理智地去分辨真假。說不定，還一口咬定：「夢比這現實更真呀！」

我倒是向她說，看到一張沒有血色的臉龐、兩隻沒有瞳仁的眼睛，她直呼好可怕好可怕，並且安慰我，只是個夢而已，世界上不會真有這樣的人。人們總是選擇他想相信的去相信，而不想相信的事物便認定是假的。

其實，我也如妻一般認為，世界上不會真有那樣的人，直到遇見「窺夢人」，才開始懷疑，澡堂裡裸尼以及那張臉龐、那雙眼睛，究竟只是一場夢或真實發生過的事？甚至，當時自以為醒來，妻躺在我身邊，說我做了夢，並與我談論這場夢，如此情境，究竟是在夢中或現實的世界？

我在都城一座壅塞著人潮的天橋上遇見他，一張沒有血色的臉龐，兩隻沒有瞳仁的眼睛。他就站在夕陽軟弱的橙光中，薄暮如紗的煙塵，讓他的身影恍然在大氣中飄浮著。這是在夢裡嗎？

「夢與非夢，怎麼分辨！」他說。從前，有個樵夫到山野間去砍柴，遇到一隻驚慌的小鹿。樵夫將牠獵殺，但因為他得繼續砍柴，就暫時把鹿藏在乾涸的溼地裡，並覆蓋幾片蕉葉。等樵夫砍完柴，卻已忘記而找不到藏鹿的地方。

「難道這只是一場夢嗎？」他真的迷糊了。

回家途中，他將這件事說給人們聽。有個鄰人依照他所說，竟找到那隻覆蓋在蕉葉下的鹿，很高興地回家，告訴妻子說：「那個樵夫做夢獵得一隻鹿，而忘記藏在那兒；我卻把牠找到了。他的夢竟然是真的！」妻子半信半疑，說：「說不定是你自己夢見樵夫得鹿吧！樵夫在那裡呢？不過，你的確把鹿扛回家了，你的夢竟然是真的呀！」男人說：「管他是誰在做夢，我得到一隻鹿卻是千真萬確。」

樵夫回家之後，非常懊惱，晚上真的做了一個夢，夢見藏鹿的地方，也夢見鹿被那個鄰人找到而扛走了。第二天醒來，依照夢境尋去，鹿果然就在鄰人家裡。他非常生氣，一狀告到官府去。

「窺夢人」說了這則《列子》裡的故事，然後問我：「夢與非夢，怎麼分辨？」

此刻，我真的迷惘了。「澡堂」與「天橋」，那一個是夢，那一個是非夢？而我卻同樣看到這張臉、這雙眼睛。假如「澡堂」是現實，那就是「澡堂」中的我夢見「天橋」上的我；假如「天橋」是現實，那就是「天橋」上的我夢見「澡堂」中的我。而裸尼呢！妻子呢！那一個才是現實中與我同在的女人？那一個只是夢裡無明的幻象？我該相信什麼？我不該相信什麼？倘若曹雪芹感悟到的是「假作真時真亦假」；那麼，此刻我感受到的卻是「真作假時假亦真」。然而，每一個人卻都自認為在真相之中而看到了真相！

其實，這整個經過，最讓我害怕的還不是夢與非夢、真實與虛幻之難以分辨；而是「窺夢人」竟然能夠在我這兩個世界中自由進出，「我在一個荒廢的澡堂裡看過你」！聽到他這句話，我不是訝異，而是驚恐。

我一向認為，生命存在的真假無從辨明，也不重要。重要的是彼此之間，允許自我「留白」；讓每個人在相互瞪視之外，也可以孤獨地躲進一個任何他者所無法侵入的世界。那也是我們可以安全地生活一輩子的理由。假如每個都是「窺夢人」，我不知道誰能放心地過完這一生？

4

我和「窺夢人」坐在都城東北邊的山腰間的一棵白雞油樹下的磐石上。都城已在如墨的夜色中，變成一口巨大的黑箱。箱面上鑲嵌著熠耀的明珠與鑽石，那是可以照灼幽暗的燈火。

但是，生命的幽暗處卻向來是任何亮光所照灼不到。它在光之外，像是永藏不露的山陰，與山陽共成無法分割的山之實體。

深夜裡的都城，是一口巨大的黑箱，即使通明的燈火也難以照灼這黑箱中許許多多生命的幽暗。我們所能看到的只是黑箱的外殼。然而，因為如此，所以都城繼續存在，人們繼續存在。

「窺夢人」彷彿融進夜色中，變成沒有實體的靈魅。他的眼球不長瞳仁，在白天，看起來像顆煮熟的魚睛。這刻在夜裡，竟然泛著曖曖的磷光。他低俯身子，面對腳下如黑箱的都城。眼中的磷光像五月的螢火，閃爍不定。

「搭著我的肩膀，閉上眼睛；我帶你到幾個用眼睛看不到的地方。」他說。

請原諒我吧！我真的無意去揭開任何一口生命的黑箱。然而，隨著「窺夢人」，我侵入了幾個生命的留白，看到了平常眼睛所看不到的景象。當時，我並不知道身在那裡，只以為那是真真切切發生在這現實世界中，卻叫人震驚而難以置信的事。之後，才知道我們進入了某人的夢境，窺視了連他最親暱的人都無法察知的秘密。

其中，有些我認識，有些我不認識。不認識的，我就不說了；認識的，我挑一個說說吧！但我必須姑隱其名，你千萬不要繼續問，那個人究竟是誰？

天似黑鍋，頂空卻破了一個大洞，散落如血的光芒。大地是滾滾的濁流，什麼都被淹沒掉，只有一座金色的高樓聳立水面。頂層的陽台上，一把長背的交椅，C君端坐，彷彿冰冷的石像。他的右手拿著酒杯，左手摟著一個妖冶的女人。

陽台前端有把鐵梯垂懸到水面上。水面上，一個肥胖而衰老的男人，正在滾滾濁流中載浮載沉。他赫然是C君的父親。他不停地揮手向C君求救，但是，C君卻只是冷漠地瞪視著他——這個C君叫他「父親」的男人。

C父拚命地向自己金色的樓房泅泳，終於攀到了梯子。他疲倦而興奮地往上爬，眼看就要爬到梯子的頂端。C君站了起來，臉無表情，抬起右腳將梯子踹倒。

「窺夢人」在我身邊，漠然地看著這一幕悲劇，或許是他看多了，或許這些人這些事都與他無關。但是，我就不能那樣淡漠，C君是我最好的朋友，很知名的大學教授，向以孝悌為我輩所敬重。C父則是一個擁有許多財富與女人的商賈，生了幾個不同母親的兒女。

C君怎麼可能做出這樣的事，但他卻在我眼前發生了。之後，我明白那是C君的一場夢，是C君生命黑箱中另一個幽暗的世界，我不應該侵入。然而，我卻已經侵入，揭開了黑箱蓋子的一個小縫。此後，每當見到溫文儒雅的C君，在真假難辨中，竟感到一種奇異的陌生，甚至摻雜著些許的厭惡。

5

昔者，有「狐疑」之國，王忌其弟謀反而苦無稽焉。某日，一士自西方來，自謂能窺人之夢，以伺心機。王遣之偵察其弟，果得叛變之夢，因以為據而殺之。復疑其弟魂魄為亂，懼而不能自解，終癲狂而死。

我並非在講一個查無此事的寓言，這是平常或至少可能發生在你我身上的事。

自從「窺夢人」在我們的群體中出現，這世界就忽然複雜了起來。許多傢伙開始在最親近的人身上貼問號，「窺秘」是一種心靈自體潛生的病毒，被誘發之後，便很快的擴散開來。很多人都想揭開所親者的生命黑箱，讓他成為一個完全的透明體。因此，他們都以很昂貴的代價，請求「窺夢人」的幫助。有夫窺其妻者，有妻窺其夫者；有父窺其子者，有子窺其父者。有至交之相窺者……而人人自以為已看清對方生命的「真相」。

他們究竟看到了什麼？誰都沒有說明白。但是，據我所知，已有好幾個人，卻因此而夫妻、父子、朋友彼此離散或相殘。

「窺夢人」總是漠然地進出在很多人的夢境，並以此異術而致富，於二十世紀末，在都城南區一座天主堂中，由安樂神父福證，而與鶯鶯小姐結婚。

婚後不到兩個月，「窺夢人」便開始酗酒，為什麼會這樣？他始終沉默，但臉色明顯地堆積著層層的怨苦。後來，禁不住我的關心與追問。他終於吐露了實情：

「鶖鶖的夢裡有好幾個男人！就是沒有我。」

他每個晚上，幾乎都在窺視鶖鶖的夢。而他再也無法如窺視他人之夢那樣漠然。

「你就別進入她的夢裡呀！」我勸他。

「既然是X光，能忍得住不透視嗎？」他搖搖頭。

終究，「窺夢人」無法忍受這樣的煎熬，於二〇〇〇年「愚人節」當夜，從鶖鶖的夢裡出來之後，服毒自殺，遺書只留下二句他曾經說過的名言：

每個生命都是一口黑箱，而且必須是一口黑箱。

他早就這樣說了，卻沒有做到，竟然必需滑稽而悲涼地以自己的生命去驗證斯言！

他得再強調，這不是一篇純屬虛構的小說，也不是一則查無此事的寓言，而是平常發生在你我身邊的事。但是，請別找我爭辯它的真假。說不定你身邊就有一個「窺夢人」，只是你沒有察覺罷了。

——二〇〇〇年四月二十七日《聯合報》副刊

應用文：履歷、自傳

壹、履歷與自傳的用途

履歷就是簡化的或表格化的自傳，它是求職者自我推銷的工具，是應徵面談的參考，是謀職成功的關鍵。市面上有印好格式的履歷卡或履歷表出售，格式雖然不一而足，但所包含的項目大致相同可依式填寫。

自傳是自述生平的文章。在我們一生當中，總會遇上好幾次必須寫作自傳的時候，例如：在學時所寫的自傳，可使老師瞭解自己，謀職時所寫的自傳，可使雇主認識自己。自傳可以作爲人事檔案資料，也是推薦自己的媒介。

在人浮於事的今天，任何一個工作機會，都有許多人前往應徵。如果想在眾多競爭者之中脫穎而出，不能不對履歷和自傳的寫法有所了解，才能把自己的專長充分表達出來，增加自己的錄取機率。

貳、履歷的撰寫

履歷主要呈現個人的基本資料及學經歷，並無固定格式，求職者可自行針對應徵職務，設計適合的履歷。

一、撰寫要點

㈠**基本資料**：包括姓名、性別、出生年月日、籍貫、聯絡電話、傳真、手機、通訊地址、電子郵件地址等。

㈡**學　歷**：可由最高、最近的學歷開始書寫，並註明畢業或肄業學校名稱、科系、修業時間。如果格子太小，只寫最高學歷亦可。

㈢**經　歷**：應詳列曾任職務與徵才單位工作性質相關者。若沒有正式的工作經驗，可寫實習經驗或與應徵工作有關的社團及打工經驗。

㈣**專業技能**：呈現求學、打工時期的得獎紀錄或優良表現。若領有證書或通過資格認證，即使與所應徵工作無直接關係，也可以列出來，並隨履歷附上影本。

㈤**興　趣**：興趣可顯現一個人的特質，也是徵才者評估的項目之一。

㈥**語文能力**：可就聽、說、讀、寫四大項分別寫明精通、或中等、或略懂、或不會。若曾考取相關語言證照，宜列出證明。

㈦**照　片**：宜選擇儀容端莊、清爽的個人照為避免相片脫落，可將姓名及電話寫在照片背面。

㈧**應徵項目及專長**：應填寫清楚，以順利送達徵才部門。

二、注意事項

履歷表的格式雖不盡相同，但撰寫時仍有共通的要點必須掌握，分述如下：

㈠**資料必須真實正確**：履歷表是求職的敲門磚，必須真實正確地反映應徵者本身，不宜過分誇張虛偽，言過其實；也不必故意表現謙虛的美德，而坐失雀屏中選的機會；適當地以具體的資料或數字表現自己，最爲得體。

㈡**內容切合工作性質**：在人浮於事的今天，應徵工作時競爭非常劇烈，必須先瞭解應徵工作的性質及條件，才能立於不敗之地。執筆撰寫時，凡與工作性質有關之學歷、經歷、訓練及專長等，一一詳細填入，必能使徵聘者留下一個深刻的印象。

㈢**文字力求簡潔流利**：履歷表的項目，很多是就固定的資料填入，不必有特殊的文采，但在學歷、經歷或自傳的敘述時，就要知所翦裁，使其簡潔而又能達到自我推薦的效果，不宜過分堆砌資料，失去重心所在。文字尤應流利暢快，令徵聘者樂於讀完所有資料。

㈣**格式講求合宜實用**：履歷表的格式很多，有現成的、有自製的，有簡單的履歷卡，有詳細的如履歷自傳表，那一種格式最爲適當，難有定論，要以切合實用爲主，大抵應徵工作的層次愈高時，以採用較詳細的格式爲宜。

㈤**敘述應視情況而定**：履歷表最重要的項目是學歷與經歷，在履歷自傳表內敘及時，可採順序的方式，由過去寫到現在；在履歷卡或履歷表內敘述時，可採倒敘的方式，由現在回溯過去，先寫較高學歷、最新職務，再及次高學歷、以往職務……。關於經歷的介紹，一般都按時間後先列示，但也可視情況，按經驗類別列示，如一般經驗、銷售經驗和管理經驗等；或者按策略重點列示，先寫下期望獲的職位的具體目標或類別，然後以此項目標爲中心，一一敘明自己的教育背景和經類，以證明應徵者確爲該職位的最佳人選。

㈥**繕寫必須工整晰**：履歷表的字體，要排列整齊，筆畫清晰，切忌龍飛鳳舞，潦草不堪。字體潦草，容易被認爲做事草率不夠嚴謹，工整清晰才能贏得好印象。若以電腦文書處理，應避免使用花俏的字體或斜體字，列印的紙張，質佳的白紙即可，避免使用含有太多花邊或複雜底圖的紙張。

㈦**附件資料裝訂整齊**：履歷之後通常附上自傳、畢業證書影本、在校成績單、證照影本等證明文件，應依序疊好裝訂、避免散落。

三、撰寫格式及範例

㈠一般現成撰寫表格

簡　歷　表

SYNOPTICAL STATEMENT

姓名 Name		性別 Sex		血型 Blood type	
出生日期 Birth Date		體重 Weight		身高 Height	
籍貫 Native Place		已婚 Married		未婚 Single	
現在住址 Present Address					
永久地址 Permanent Address					
學歷 Academic Degree					
志趣 Pleasure		專長 Speciality		健康情形 Healthy Condition	
經歷 Experience					
簡要自傳 Synoptical Autobiography				相片 Photograph	

(二)電腦撰寫表格及範例

欄位	內容
姓名	
性別	
年齡	
籍貫	
通訊處	
學歷	
曾任職務	
電話	
身份證字號	
希望待遇	
貼相片	

<table>
<tr><th colspan="6">履 歷 表</th></tr>
<tr><td>姓　　名</td><td></td><td>性　　別</td><td>男 / 女</td><td colspan="2" rowspan="4"></td></tr>
<tr><td>出生日期</td><td></td><td>年　　齡</td><td></td></tr>
<tr><td>兵　　役</td><td></td><td>婚姻狀況</td><td>已婚/未婚</td></tr>
<tr><td>身分證字號</td><td colspan="3"></td></tr>
<tr><td>聯絡方式</td><td colspan="5">電　話：(　)　　　　手機：</td></tr>
<tr><td>通訊地址</td><td colspan="5">□□□-□□</td></tr>
<tr><td>電子信箱</td><td colspan="5"></td></tr>
<tr><td rowspan="4">學　　歷</td><td colspan="2">學校名稱及就讀科系</td><td colspan="2">起 訖 日 期</td><td>成　績</td></tr>
<tr><td colspan="2"></td><td colspan="2"></td><td></td></tr>
<tr><td colspan="2"></td><td colspan="2"></td><td></td></tr>
<tr><td colspan="2"></td><td colspan="2"></td><td></td></tr>
<tr><td rowspan="4">經　　歷</td><td>職　　稱</td><td>起訖日期</td><td colspan="3">工　作　說　明</td></tr>
<tr><td></td><td></td><td colspan="3"></td></tr>
<tr><td></td><td></td><td colspan="3"></td></tr>
<tr><td></td><td></td><td colspan="3"></td></tr>
<tr><td rowspan="4">語言能力</td><td>語　　言</td><td>聽</td><td>說</td><td>讀</td><td>寫</td></tr>
<tr><td>中　　文</td><td></td><td></td><td></td><td></td></tr>
<tr><td>英　　文</td><td></td><td></td><td></td><td></td></tr>
<tr><td>其它(___)</td><td></td><td></td><td></td><td></td></tr>
<tr><td>專長技能</td><td colspan="5"></td></tr>
<tr><td>證　　照</td><td colspan="5"></td></tr>
</table>

履　歷　表

PERSONAL INFORMATION

應徵工作 JOB APPLIED FOR	國立中正國中　　電腦科老師

一、個人資料　PERSONAL DATA

姓　名　黃一銘 NAME　Huang, Yi-Ming			男 MALE ☑ 女 FEMALE ☐	照　片
☐ 未服兵役 ☑ 已服兵役	出生日 BIRTHDATE 70 / 07 / 24		☐ 未婚 SINGLE ☑ 已婚 MARRIE	
聯絡方式	聯絡電話	手　機	0999-888-888	
		住　家	(01) 2345-6789	
	通訊住址	(116-78) 台北市羅斯福路五段236巷7號		
專業證照	Cisco CCNA		LPI LPIC1	電腦軟體應用(乙)

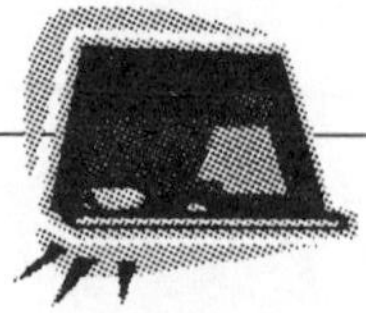

二、教育程度 EDUCATION

等別 GRADE	學校名稱 MAME OF SCHOOL	科系 MAJOR SUBJECT	畢業名次 RANK/TOTAL	自 FROM	至 TO
碩士	國立台灣大學	企業管理所	12 / 60	91.09~93.06	
學士	德霖技術學院	企業管理系	6 / 55	85.09~91.06	
高職	北市私立育達商職	資料處理科	12 / 36	82.09~85.06	

三、教學經歷 EXPERIENCE

學校名稱 MAME OF SCHOOL	科系 MAJOR SUBJECT	職稱 JOB TITLE	自 FROM	至 TO
台北市文史哲高中	資料處理科	代理老師	95.08~迄今	
台北市文史哲國中	電腦科	代理老師	94.08~95.07	
台北市私立台灣高中	資料處理科	專任老師	93.08~94.07	

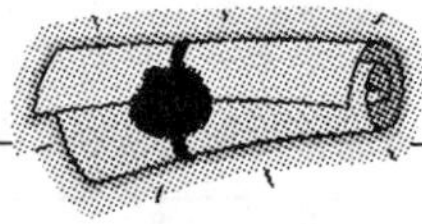

四、專長 DESCRIBE ANY SPECIAL VOCATIONAL OR TECHINCAL TRAINING

專長 SPECIAL SKILL	證照 CERTIFICATE
電腦網路管理	Cisco Certified Network Associate (CCNA) Junior Level Administration (LPIC 1)
辦公室軟體應用(MS Office)	電腦軟體應用　乙級
程式設計(JAVA、C#、ASP. NET)	

五、優良表現

擔任職稱	優良事績	學校名稱
乙級電腦軟體應用檢定指導老師	教學認真成績卓著	文史哲高中
電腦科召集人	提昇教學成效落實老師專業成長	文史哲高中
資處科導師	教學績效優良	文史哲高中

六、社團經驗 EXPERIENCE

服務單位 COMPANY	職稱 JOB TITLE	職掌工作要項 JOB EXPERIENCE
台大　企管系學會	資訊組組長	透過各種管道做資訊傳達
台大　野研社	文教組組長	安排教學課程及訓練
台大　登山社	志工組組長	接洽校外登山服務事項
德霖技術學院　登山社	美宣組組員	畫海報

七、自傳 AUTOBIOGRAPHY

我是黃一銘，70 年 7 月 24 日生。從小在台北市長大，出生在那個跳格子與躲貓貓的時代裡，那時候的台北不像現在高樓林立，鄰居總會玩在一塊。在家中是排行老六，自小就被受爺爺奶奶疼愛，有二個哥哥與三個姐姐，父親自行開小吃店，母親則從旁協助，但自己在小時候反而對書本沒有什麼興趣！

在國小時，每天上下學總會經過植物園，令我每天都對上學充滿生氣，也許是被茂盛林立的樹木所感染，國小無憂無慮的，現在想想真好。上了國中，因對爲升學而讀書的心態無法調適，所以在那三年中體重也因壓力的關係迅速的往上飆升，但也奠定了我之後較爲寬闊的體格。由於家中人口眾多，且經濟狀況不甚理想，因此在讀完國中後，我利用半工半讀的方式來完成接下來的學業(高職、大學與碩士)，可能是因爲提早步入社會工作，使得年紀輕輕的我很早就領悟到與人相處的道理，並且學會在短時間內去適應新環境。

高職三年碰到了影響我一生最深的老師，因爲老師的鼓勵與做人處事的態度吸引我想跟他學習，不僅找到了自己的興趣「電腦」，也重新找到自己的定義。就連我在高二那年萌生休學的想法時，老師也不放棄我且鼓勵我。正因如此，直到現在我仍是定時的回學校去看老師和他聊聊天，彼此分享生活上的心情，也因為自己年少的輕狂，使得我對老師這份職業有了很深的體會，希望自己能將這份經驗分享給以後的學生，提供他們面對生活與壓力的參考。我也期勉自己在未來教職的生涯裡，能有幸進入貴校的教育脈絡中與莘莘學子們齊發光發亮。

參、自傳的撰寫

求職自傳可使雇主了解求職者的優勢強項、表達能力、思維模式及所學專長，可彌補履歷表列之不足。

一、撰寫準備

自傳的寫作沒有一定形式，但寫作自傳之前，可依下列重點，先將個人資料作一個整理。

㈠**家　世**：包括父系、母系兩方面的家族概況，如居住地、行業、傑出的人物、特殊的事跡等。

㈡**家　庭**：包括目前家庭成員的年齡、學歷、職業、經歷，以及家庭經濟、日常生活狀況等。

㈢**出　生**：包括時間、地點及與出生有關的特殊事項等。

㈣**健康狀況**：包括身高、體重、血型以及一般的健康狀況。

㈤**求　學**：包括各求學階段的學校名稱、修業起訖、印象深刻的師長、學業成績、參加過的活動、擔任過的職務：得到過的榮譽如獎勵等。

㈥**經驗與能力**：包括家庭、學校、社會各方面，在生活、學習、工作中所得到的成功或失敗的經驗，以及所培養出來的待人處世的能力。

㈦**人際關係**：包括最難忘的人與事。

㈧**自我分析**：包括個性、興趣、優點、缺點、抱負。

㈨**其　他**：如宗孝信仰、人生觀等。

資料的建立，有助於了解自我，並避免自傳寫作的七拼八湊、雜亂亂無章。根據那些資料，可先撰寫一篇綜合敘述的自傳爲爲底本，而後依實際需要，或即採用此底本，或據此底本作選擇性重點敘述。

二、撰寫要點

在撰寫自傳之前，一定要站在徵才者的角度思考：「他們要的是什麼？」「他們需要的訊息有哪些？」再針對這些需要，陳述個人符合之處，表達自己能因應這職務或公司的的需求。此外。更可說明個人的價值觀、工作觀與自我期許，讓徵才者感受到自己的企圖心。

一般而言，一篇自傳的字數約為六百至一千字；內容大致包括下列四部分：

㈠**敘述家庭背景**：先介紹自己的姓名、性別、年齡、籍貫，次及家世淵源，如祖先中有特殊成就者，則可特別提出介紹，以彰顯家風。出生地點倘有特殊之風土人情，亦可加筆敘述。再次，介紹家庭背景，如對祖父母、父母、配偶、兄弟姊妹或子女等的年齡、職業以及一般生活情況加以描述，並可概述家庭經濟狀況。

㈡**說明求學過程**：按時間先後敘述求學階段的情形，將在學校所學與應徵職務所需知識緊密相扣。可敘述自己修過什麼課程，或得到的好成績，舉凡專長科目、參加過的競賽與得獎紀錄、優異表現等，皆可於自傳中詳述，或受某位師長之深刻影響，亦可一併提及。若所學與該職務無直接關聯，可透過陳述「擁有相關證照」、「曾選修相關課程」或「常閱讀相關雜誌書籍」來補強。

㈢**描述工作經驗**：此段重點放在過去參與社團或工作經驗的呈現，如果有相關的實習經驗也能舉出。倘若過去的經驗與應徵職務無直接相關，也可用「態度」、「個性」上的共同點來凸顯自己與該職務間的關聯。

㈣**自我檢視批評**：此段可多表達個人學習精神及企圖心，例如勤奮、積極、抗壓性高……等，或對工作的期望、抱負與未來生涯的規劃。並於最後懇請徵才者給予面試或進一步的機會。

寫作時，除了段落分明，主題明確外，亦可嘗試設定標題，吸引雇主閱讀的興趣。

三、注意事項

自傳文字雖不長，但要成功地介紹自己、推薦自己，也非易事，以下略述撰寫時宜注意的要點：

㈠**構思要詳密**：動筆寫自傳前，先作一番構思。應徵工作的性質爲何？自己的學經歷如何與之配合？工作目標及未來理想如何？全文分幾段，每段敘述之重心爲何？凡此等等，均應經過縝密的構思，描述才會深入得體。

㈡**詞句要平實**：自傳的撰寫不宜過分謙虛，應儘量將自己的能力、經驗充分表達出來，但切勿自我吹噓，誇大其詞，使人生厭。

㈢**態度要誠懇**：自傳是向人作自我介紹或推薦，要不卑不亢、不驕傲、不虛僞，「誠於中，而形於外」，只有誠懇無欺的態度，才能將熱誠透過文字傳達出去，使對方產生共鳴。

㈣**敘述要條理**：每一段落須有敘述重心，不可東拉西扯、重複雜沓，各段落之間，須脈絡聯貫．列舉事項，不宜過多，宜具代表性。

㈤**內容要具體**：自傳的內容要切合徵聘者的需要，即以工作性質爲取向。自傳要讓人瞭解自己，因此百分之八十或九十寫自己與應徵工作相關的事項，百分之十或二十可介紹個人身世、家庭狀況以及自己的生活與興趣。

㈥**語氣要積極**：自傳的字裏行間要表現出「積極進取」、「勤勉不懈」、「奮發向上」、「堅守崗位」等積極有為的個性，切勿寫出「消極頹廢」、「得過且過」、「因循苟且」、「馬虎草率」等消極文字。

㈦**字體要工整**：自傳應用正楷書寫，切忌潦草，保持紙面乾淨。如用電腦文書處理，版面應整齊，避免使用花俏的字體或斜體字。

四、撰寫範例

例一　應徵企管人員

我小時候，家裏生活很貧困，父母在萬般困難中掙扎與挺立給我相當深刻的印象。人生難免遇到困難，卻不能輕易地被擊倒。

九十年我從學校畢業後，拿著私立專校的文憑要找一份理想的工作並不容易，所以我決定一面工作、一面進修。以工作來致用我在學校所學的，而以進修來彌補我在學識上的不足。今日我剛從夜大畢業，在自己能力的肯定上，相信已更進一層。

國際經濟景氣的低迷，雖給工商業帶來了相當的震撼，但這未免也是給工商業一個最好的考驗機會，在此時刻當廣攬各方意見，改善產銷技術，以求產品水準的提昇及生產成本的降低。我多年來所學、所從事的都是這方面的知識與工作。若　貴公司肯給我一個機會，我願盡獻所能，或可成為　貴公司進展的徵助。

（引技職應用文，頁一三〇。）

例二　推甄自傳

我叫王大偉，住在台北市，有兩個妹妹，家中排行老大，爸爸自己經營一家材料製造公司，媽媽則與持爸爸分工，主要在家照料家人、處理家務。父母管教子女的態度很開明，不曾給我太大的壓力；他們只在大原則堅持，譬如要能明辨是非，不做壞事，至於課業方面，並不會給我太多的要求，所以從小到現在，我的生活一直都很安穩，也沒有太大的壓力。

父母雖然沒有給我太大的課業壓力，但是天下父母心，望子成龍的期待仍是有的。為了培養我的競爭實力，我的補教學費不曾中斷；父母為了加強我基礎學科的能力，小學時我便開始在才藝班學習兒童美語、珠心算等課程，國中時則到補習班由補教老師加強學校課業的複習。很遺憾的是，國中三年特別是國三期間，安排得密不透風的讀書方式，並沒有讓我在基測考出好成績，現在檢討起來，應該是當時讀書方法錯誤所致。因為當時的成績不能上較好的高中，和父母商量的結果，我決定讀技職學校——大安高工。

進入大安高工，我重新調整自己的步伐，並訂下明確的進修目標——考上前三志願。從國中時期的懵懂被動，我開始變得積極主動，平常有不懂的地方會去請教老師，遇到了挫折也會想辦法克服，面對困難的問題也會堅持到底、絕不放棄。由於老師孜孜不倦的教導與惕勵，父母無私無悔地支持與鼓勵，益發讓我堅定進修的目標，為的就是實現自己的願望。高中三年，我擔任過輔導股長、總務股長、班模範生和禮儀楷模，成績也一直維持在班上前三名。

現在社會講求專業與分工，我認為如果沒有一技之長、沒有專業技能，是很難與人競爭的。經過高中三年的學習與探索，我找到了自己的興趣，我希望成為一位機電科技人才，更希望在充實機電專業知識之外，還能培養相當的人文學養，未來能以自己的專才服務社會、造服人群。與師長、父母討論後，我認為師大是一個學風良好、兼重科技與人文的優良大學，是一所讓我可以培養實力、實現自我理想的大學，因此在眾多學校中，我以師大機電科技學系為我的第一志願，現在準備好推甄相關資料，希望各位師長審慎考慮，並且給我一個追隨學習的機會。